Y0-BZY-391

ZENZELA

AZOUZ BEGAG

ZENZELA

roman

ÉDITIONS DU SEUIL
*27, rue Jacob, Paris VIe*

Ce livre est édité par Nicole Vimard

ISBN 2-02-032455-5

Sétif

A Sétif, les femmes de la maisonnée avaient décidé d'aller en pèlerinage sur la koubba d'un saint où elles avaient coutume de brûler des cierges pour envoûter la sérénité. Comme j'étais le seul chauffeur disponible de la 504, je les avais conduites vers le lieu de recueillement. Je savourais ces escapades estivales sur les routes de la campagne alentour, au cœur d'insolites paysages vallonnés qui semblaient nous regarder passer, fixement.

J'avais cherché à dissuader mon frère Nabil de venir avec nous, arguant qu'il allait s'ennuyer là-bas, mais têtu comme il était, il avait harcelé notre mère Yemma pour qu'elle le tienne sur ses genoux dans la voiture. Dissimulée derrière son voile noir des femmes du Constantinois, elle m'avait fait un clin d'œil pour céder au caprice du petit dernier. C'était étrange, je n'avais aucune raison particulière d'empêcher Nabil de venir avec nous, mais seulement une impression à fleur de peau, un message furtif recueilli dans un courant d'air, qui m'alertait par anticipation. Après coup, j'ai compris pourquoi.

J'avais déposé femmes et enfants devant une impressionnante bâtisse carrée, coiffée d'un toit en forme de casque mamelouk, à l'intérieur de laquelle se trouvait la sépulture de Sid El Khier dont Yemma parlait si souvent. Elle y était venue maintes fois, mais moi c'était la première fois. L'aspect extérieur n'avait pas avivé ma curiosité, au contraire, son austérité m'inquiétait, aussi étais-je resté dehors avec Nabil, à lorgner les jeunes filles en âge d'aimer et à crapahuter sur les tombes d'un cimetière musulman attenant. A son extrémité inférieure qui s'enfonçait dans une forêt, coulait un oued, avec de l'eau dedans, ce qui était assez rare pour la saison, mais celui-là n'était pas un oued comme les autres : il avait le privilège de rafraîchir le lieu saint. En arrivant, Yemma m'avait prévenu sur un ton énigmatique : « Attention, n'allez pas trop loin vers l'oued, c'est un endroit *pas bien.* » C'est tout ce qu'elle avait dit. Pas assez pour empêcher ce qui allait se produire.

Je déambulais entre les stèles, simples boursouflures de terre piquées d'herbes folles, ému par les toutes petites où reposaient des enfants, et je parlais à Nabil, mais au bout d'un moment comme il ne répondait plus, je me suis retourné, il n'était plus à mes côtés. Espiègle, il avait coutume de vaquer seul à ses occupations, voilà pourquoi son absence ne m'avait pas troublé outre mesure. Considérée de l'extérieur, la bâtisse maraboutique paraissait pleine à craquer, beaucoup de femmes devaient fourmiller à l'intérieur. Moi, j'étais en train de me demander si, dans les cimetières musulmans, les tombes des hommes et des femmes étaient séparées, comment on pouvait distinguer les unes des autres, quand j'ai vu Yemma sortir, transpirant sous son grand voile noir qu'elle avait retroussé jusqu'à la ceinture. Elle est venue me rejoindre entre les tombes. Elle m'a dit :

– Ah, tu es là ?

Bien sûr que j'étais là. Où pouvais-je être ?

– Qu'est-ce que tu fais ?

– Rien. Je mesure la longueur des morts.

– Ton petit frère n'est pas avec toi ?

J'ai regardé autour de moi, l'air de dire : Tiens, c'est vrai, où il est passé, ce furet ?

Elle a vaguement interrogé du regard les alentours pour voir si elle le repérait, puis elle m'a fait :

– Allez, viens, on va la retrouver, viens… elle veut te voir…

– Qui ?

– La marabata, à l'intérieur. Elle est là par hasard, elle veut te voir…

Son regard était phosphorescent, comme si des débris de lune étaient tombés dedans. Elle souriait étrangement. J'ai senti qu'elle avait honte de ce qu'elle voulait m'exprimer. Elle a hésité un petit moment, avant de m'avouer qu'elle avait soumis « mon cas » à la marabata et que cette dernière avait souhaité qu'on aille me chercher. Je n'ai pas eu le temps de demander de quel cas il s'agissait.

– Il n'y a pas à réfléchir. Elle a dit « cours vite ».

– Pourquoi vite ?

– J'en sais rien, mais il faut l'écouter, si elle dit cela, c'est pour une raison précise.

Renfrogné, j'ai quand même accéléré le pas. Sur le seuil de la sainte demeure, j'ai ôté mes chaussures et je suis entré nu-pieds vers le mystère. Un mausolée massif remplissait le centre de la pièce, haut d'un mètre cinquante, nappé de fastueux tapis persans et berbères. Sur les murs, des calligraphies de lettres arabes, voluptueuses, dansaient sur elles-mêmes comme des chemins de montagne aspirés par la spirale d'une cime. Autour du tombeau brûlait une forêt de bougies torsadées, petites ou longues, orange, vert clair ou bleu pâle. Yemma en avait apporté trois. Ça sentait l'encens à plein nez, une odeur incomparable aux autres, pas désagréable, mais pas vraiment plaisante.

Emmitouflée dans plusieurs couches de robes colorées et de linges divers, une mémé était assise en tailleur, la tête effleurant le pied du sarcophage, recueillie, talée sur elle-même. Visiblement, elle ne logeait pas dans le même monde que les humains. De quelle planète débarquait-elle ? De quel douar ? Une marabata : version féminine du marabout. Et comment était-elle venue ? A pied ? A dos de mulet ? Chevauchant un tapis volant ? Elle m'apparaissait par fulgurations successives, car autour d'elle tourbillonnaient une dizaine de femmes aimantées par l'énergie diffuse. Je ne distinguais pas ses mains, mais j'avais l'impression qu'elles s'affairaient à des gestes précis et intenses. Puis, elle m'a toisé, ayant perçu ma présence dans la foule brouillonne. Ma sœur s'était positionnée juste derrière elle, excitée comme un enfant, transportée elle aussi par les fumées de l'encens. Elle avait une allure d'un garimpeïro brésilien en extase devant un filon d'or.

Yemma s'est à nouveau rapprochée de la marabata. Les femmes qui la collaient de près se sont écartées naturellement, comme si la cérémonie avait été répétée auparavant et que mon entrée en scène était attendue. Elle a annoncé la couleur :

– Le voilà, mon fils Farid.

Elle m'a exhibé au bout de son bras à la manière d'une offrande aux dieux. La magicienne a levé les yeux sur moi, des yeux rouge vif, luisants sous l'effet de la fatigue ou de la moiteur de l'atmosphère. Et aussitôt, elle a baissé la tête. Elle avait enregistré mes traits dans sa boule de cristal. Cela lui suffisait pour annoncer ses quatre vérités sur mon destin. Son visage était strié de tatouages, au front, sur les tempes et sur le menton. Ses cheveux étaient maintenus par trois ou quatre foulards aux couleurs d'Afrique. Elle a murmuré quelque chose entre ses lèvres. Mais le tumulte ambiant empêchait de comprendre le message. Ma sœur a affûté son écoute pour ravir des informations à la source, tout en gardant les yeux braqués sur moi. En vain. Les mots ne franchissaient pas la barrière des dents. Yemma non plus ne parvenait pas à saisir. Elle avait tendance à refermer les yeux pour écarter le conduit auditif de ses oreilles. Lasse, ma sœur a fini par s'énerver, s'est élevée avec vigueur au-dessus du brouhaha de la foule :

– Chut ! Elle parle de toi, Farid. Elle te dit de te rapprocher…

J'avais une confiance limitée dans le cérémonial. Toutes ces femmes porteuses de bougies et respirant l'encens commençaient sérieusement à m'indisposer. La vieille au cristal allait porter ses mains sur moi. Dieu seul sait où ce geste conduirait. Mais Yemma m'a poussé avec détermination, comme pour m'éjecter du nid douillet où elle m'avait protégé jusque-là. Je n'avais pas le choix. Quand la marabata parlait, les femmes faisaient silence total, chaque mot expulsé par cet oracle était une chrysalide. Elle a articulé mon prénom, puis celui de Nabil, mais je ne comprenais toujours rien, écarquillais les yeux, jusqu'à ce qu'une femme qui écoutait du fond de la pièce se sente obligée de traduire à haute voix :

– Ils vous ont pris le petit Nabil. Il faut prévenir Farid.

Ma sœur a sombré dans l'hystérie. Elle s'est mise à caqueter : *Quoi ? Quoi ? Hein ? Mais qu'est-ce qu'il y a ?* pressant la marabata de fournir plus de détails sur ce qui s'avérait être un enlèvement. Ma mère, debout à mon côté, est devenue exsangue. Son visage s'est rétracté comme une méduse en danger. Certes, elle avait bien entendu *Ils vous ont pris le petit Nabil*... mais elle refusait de s'abandonner à des interprétations trop hâtives. En effet, n'y avait-il pas lieu de s'interroger sur qui étaient ces *Ils* ? Pourquoi auraient-ils *pris* Nabil ? D'abord, personne n'avait pris Nabil, puisqu'il était avec Farid, à jouer dehors. N'est-ce pas, Farid... ? Le doute immonde s'est fixé dans mon esprit : ne venais-je pas de prévenir Yemma que je n'avais plus vu Nabil depuis un certain temps ? Alors, à mon tour, l'angoisse m'a étranglé. Les battements de mon cœur faisaient s'entrechoquer les doigts de mes pieds. Où était Nabil ? Qui l'avait pris ? Les anges ? Des ravisseurs ? Des démons ? Les agents de la Police Secrète de la République Socialiste Démocratique et Populaire ? Ensuite, comme pour mettre fin à nos vaines supputations, la marabata s'est confiée à moi. Plus exactement, sa bouche m'a regardé. Elle dégageait une pluie de radiations. On aurait dit un organe télécommandé par des émetteurs célestes.

– Cours vite, ton frère vient d'être enlevé. Ils vont lui faire du mal.

Je me suis mis à genoux, au bord de l'évanouissement, mais l'heure n'était pas aux abandons stériles. Il fallait plutôt demander des précisions sur l'heure et le lieu du crime. Hystérique, ma sœur griffait les murs avec ses ongles en poussant des lamentations d'horreur. Elle, elle avait déjà enterré Nabil. Tandis que Yemma, ne perdant pas son sang-froid, m'a lancé un commandement : « Cours, va le chercher ! » Et aussitôt, j'ai commencé à cavaler autour de moi-même, puis au bout de quelques centièmes de seconde, j'ai freiné net et j'ai demandé :

« Où dois-je courir ? » La marabata a répondu : « Dans la forêt, en bas du cimetière, c'est là qu'ils sont tous. » Je ne suis pas sûr d'avoir entendu *qu'ils sont tous*, car j'avais déjà donné un coup de reins d'avant-centre, dribblé deux ou trois défenseurs invisibles et je dévalais la pente du cimetière, demandant pardon aux millions de défunts que je piétinais. Je courais pieds nus, les pierres coupantes tailladaient ma peau, mais la douleur disparaissait aussi vite qu'elle jaillissait. Je ne ressentais aucune souffrance. Je fulminais : Nabil ! Nabil !

A en juger les échos que je percevais dans mon dos, je n'étais pas le seul à dévaler le cimetière comme une piste de course de haies. Les cris du cœur de ma sœur me devançaient : « Akha ! Akha ! Ils ont tué Nabil ! Ils ont tué Nabil ! Ils l'ont pris ! » Et comme les femmes compatissaient à notre malheur, elles l'accompagnaient dans sa course en exorcisant leur propre peine : « Ils ont tué un pauvre chérubin ! Ils ont pris un enfant ! »

Personne, à part la marabata, ne savait ni de quoi, ni de qui il s'agissait, mais tout le monde était convaincu du funeste dénouement. Il n'y avait plus qu'à trouver une place libre au cimetière pour Nabil, et nous pouvions nous estimer heureux d'en avoir justement un à proximité, les frais de transport seraient amoindris.

Sprintant entre les morts, j'appelais « Nabil ! Nabil ! » pour qu'il envoie un signe de vie et que je puisse me lancer dans la forêt au bon endroit, car les arbres et les taillis très touffus empêchaient de tomber pile sur lui, pour l'arracher aux griffes des ravisseurs. Hélas, mes cris restaient sans écho. Personne. Aucun signe. J'ai pénétré dans le bois à l'aveuglette, guidé par mon seul élan. J'ai ralenti dans l'ombre. J'ai écouté. Rien. Je ne cessais de clamer le prénom de mon petit frère. Ma sœur et les autres étaient loin derrière, maintenant, leurs clameurs me parvenaient faiblement. L'oued coulait paisiblement. Son mince filet d'eau saumâtre m'invitait à aller voir un peu plus loin, à m'enfoncer entre les arbres. J'ai avancé. Soudain, deux hommes sont sortis du néant, je me suis crispé. Il y en avait peut-être davantage, derrière, leur présence était encore chaude entre les buissons. Quand j'ai vu Nabil au milieu de tout ça, j'ai crié son nom : « Nabil ! » Il n'avait pas l'air traumatisé, il n'était pas sanguinolent, il ne pleurait pas, il était debout. Je me suis approché de lui. Il regardait les hommes embusqués un peu plus loin, muet, comme s'il avait été en grande conversation avec eux et que, en fin de compte, il avait décidé de rester dans sa vie tranquille, avec sa famille.

– Comment ça va ? Qu'est-ce qu'ils t'ont fait ? Ils t'ont fait mal ?

Il me tardait de tout savoir sur-le-champ. Je posais mille questions. Il n'entendait pas, absent, comme drogué. J'appréhendais le pire, un traumatisme incurable. Je l'ai secoué pour le réveiller, quand ma sœur et sa horde de pleureuses ont déboulé dans le bois, une vraie colonie de pingouins piailleurs sur une banquise verte. Elle s'est jetée sur Nabil et ils sont tombés tous les deux à la renverse, elle voulait le protéger de ses cent kilos pour le ramener vivant à Yemma qui pleurait, là-bas, devant la koubba de Sid El Khier parce que ses jambes n'avaient pas pu la porter jusqu'à l'endroit du crime. Les femmes pleureuses ont injurié les ravisseurs autant que leurs poumons le permettaient, pour se défouler. Nabil, assailli de questions, restait injoignable. Il n'a pas révélé qui étaient les *Ils*, ni ce qu'ils lui avaient fait. Mais il était vivant, Dieu merci. Cela suffisait pour pouvoir continuer la vie. Toute la troupe est remontée par le cimetière en évitant, cette fois, de marcher sur les pieds des morts. Je devais au moins avoir deux chevilles cassées, des entorses dans toutes les jointures, des écorchures et des ecchymoses partout, je ne voulais pas regarder le désastre sur mes jambes et mes plantes de pieds. Nous sommes retournés vers la marabata, car c'était elle qui inspirait maintenant nos commentaires. Elle avait donc intercepté mon *à-venir*.

– Mais comment a-t-elle su que tu étais au cimetière, puisque tu n'étais pas entré dans le tombeau ? a pertinemment demandé ma sœur.

Une femme d'ici s'est interposée avec vigueur. Une telle question sentait déjà l'offense.

– C'est une marabata, non ? Ses yeux ne sont pas nos yeux. Elle voit tout, partout, au-delà des montagnes, des oueds, des douars.

Une autre a déclaré :

– Quand ta mère est entrée la voir, elle a vu Farid dans ses yeux. Sa vie d'avant et celle d'après.

J'ai tressailli. Dans quelle galère m'étais-je fourvoyé ? Ma sœur a aperçu Yemma au sommet du cimetière et, pour la réconforter, lui a lancé de sa voix la plus chaude :

– On l'a retrouvé. Il est au complet. *Labaisse.*

Ma mère a remercié le ciel, mains offertes, avant de se rasseoir sur une sépulture pour nous attendre, s'épongeant le front à l'aide d'un pan de sa robe noire. Elle pleurait. Il fallait vraiment rendre grâces à la marabata pour cette prémonition qui avait sauvé la vie de Nabil. Parvenus au sommet du cimetière, nous avons tous eu la même idée et nous avons pénétré dans le lieu saint où la devine était restée. L'odeur de l'encens était là, les tapis étaient là, les bougies se consumaient, quelques femmes demeuraient, mais de marabata plus de trace. Envolée. Repartie. Une autre vieille femme bardée de robes et de foulards multicolores, à qui on avait demandé des nouvelles de la magicienne, a dit qu'elle était retournée chez elle. C'est tout. L'affaire était close. Les palabres inutiles. Alors il n'y avait plus rien d'autre à faire pour nous que repartir à la maison de Sétif. Ma sœur tenait fermement Nabil par la main. Je me suis rechaussé sur le seuil de la bâtisse. La sensation était douce : aucune douleur ne me piquait, aucune trace de ma cavale entre les tombes. Ce miracle me laissait sans voix. Nous sommes montés dans la 504. Ma sœur a doublement attaché Nabil à la ceinture de sécurité, à l'arrière. Comme ça, il ne s'échapperait plus.

Telle avait été l'une de mes premières prémonitions à Sétif. La marabata était dans le coup.

☆

Lyon

C'était un dimanche pourri. J'avais eu le sentiment précoce, dès l'aube, qu'il serait pire que tous les autres, un jour « annonciateur », pourrait-on dire, qui émettait des signaux de détresse. Comme s'il y avait une étoile invisible qui marchait à côté de moi et qui cherchait à me prévenir. Au réveil, j'ai d'abord préparé mon sac de sport pour le match de foot, je suis allé à la cuisine lancer un café, j'ai cherché du café, pas de café ! J'écumais. Déjà qu'il n'y avait jamais grand-chose chez nous, cette fois c'était la déshydratation assurée. Ensuite, je suis allé à la salle de bains, j'ai actionné l'interrupteur, la lampe s'est grillée. Bon, je me suis dit, ça arrive tous les jours. Restons calme. Quand je suis entré aux toilettes, j'ai eu un geste retenu en allumant la lumière, ça a marché, j'ai poussé un soupir de soulagement, alors j'ai fait ce que j'avais à faire, puis j'ai tiré la chasse : elle m'est restée dans les mains ! J'ai protesté contre mon sort : mais c'est pas vrai, c'est un cauchemar ! Moi, je n'avais pas coutume comme ma mère de conclure chaque fin de phrase par *Dieu ait pitié de nous*, mais cette fois j'ai doublé la mise. Je n'osais plus rien toucher, après coup. J'ai pris mon sac, je suis sorti en refermant délicatement la porte pour ne réveiller personne, j'ai appelé l'ascenseur. En panne ! Alors là, j'ai ri. Inutile de chercher plus loin, il fallait laisser venir le sort. Et rire, en attendant l'épilogue de ce *jour sans*.

Je l'ai joué, ce fameux match de football, et j'ai manqué un but tout fait. Nous avons perdu. Mon pied a refusé de botter le ballon dans les filets adverses, je n'avais aucune explication rationnelle à fournir à mes coéquipiers. Je lisais des lueurs de lynchage dans leurs yeux. Quelques-uns m'ont insulté, d'autres ont ri de moi. L'entraîneur m'a posé cette question indélébile : « De quel bord es-tu ? »

Sur le chemin du retour, je serrais mes poings et je crachais par terre, rejouant ce match dans ma tête, repassant l'extrait où le ballon roulait sur la ligne de but, maudissant mes coéquipiers insensibles. Mon corps était tendu comme un câble d'acier. Je ne pouvais quand même pas leur dire « je ne sentais pas ce jour », ou bien « l'aube s'annonçait mal aujourd'hui, j'aurais mieux fait de rester couché ». J'aurais eu l'air de quoi ? Un dimanche pourri. Je ne savais plus sur quel trottoir je marchais. Une 2 CV allait m'écraser. Ce ne serait pas une grande perte pour l'humanité. Un dessinateur industriel. Ouvrier qualifié niveau 2.

☆

J'ai dû monter les dix-sept étages à pied pour cause d'ascenseur en panne. J'ai sonné chez moi, ma sœur m'a ouvert. Visiblement, je la dérangeais. Elle a fait une moue dubitative, le temps de déceler sous mes traits une blessure, mais elle n'a pas creusé plus loin, et, laissant la porte grande ouverte, s'en est retournée pantoufles aux pieds devant la télé, en prévenant :

– Tu n'oublieras pas de sortir tes chaussures de foot et tes affaires sales de ton sac, sinon ça va empester pendant toute la semaine.

Elle ne perdait jamais le nord. J'ai balancé mon sac dans le couloir, je suis allé au salon. Le spectacle de ma famille hypnotisée par *Chapeau melon et Bottes de cuir* aurait fait le bonheur d'un peintre amateur de natures mortes. C'était le seul feuilleton qu'on pouvait voir ensemble, en tout honneur, parce que *Chapeau melon* parfait gentleman et *Bottes de cuir* pas nymphomane pour un sou ne se tripotaient jamais. Ils se contentaient d'échanger des sourires abstraits, ce qui satisfaisait aux exigences de notre conseil supérieur familial de l'audiovisuel. J'ai dit *Salam* et je me suis vite dégagé du regard de Yemma qui devinait toujours le noir de mon cœur en lisant le blanc de mes yeux.

A la cuisine, j'ai ouvert le frigo machinalement, espérant une surprise à manger (une tarte au citron !), mais il était vide à pleurer, à part deux demi-baguettes de pain que Yemma avait l'habitude de conserver au froid pour les faire durer, ainsi que des morceaux de viande fraîche posés sur les grilles, restes de la fête du mouton. J'étais déçu.

– Y a rien à manger, fais-toi des œufs !

Yemma avait capté mon murmure de dépit. Elle me sentait à distance. Finalement, j'ai pris un morceau de pain, du fromage, et je suis allé dans ma chambre m'allonger sur mon lit, pour essayer d'oublier ce jour du Seigneur. Le sandwich avait un goût de viande fraîche. J'ai mangé, le nez bouché, en mastiquant comme un chameau. Et j'ai regardé la nuit. Je honnissais les dimanches après-midi insipides qui s'effilochaient à partir de cinq heures du soir. J'ai commencé à lire le journal. Je me suis levé pour allumer la lumière et en revenant m'affaler sur le lit, j'ai surpris de l'autre côté de la fenêtre les ultimes rayons du jour qui filaient derrière les monts du Lyonnais, nacrés de reflets orange et mauves. Les immeubles commençaient à étinceler dans la pénombre. Les appartements s'allumaient comme des phares. Je palpais presque de la chaleur à l'intérieur, une grande douceur. Parfois, je suivais les déplacements des ombres et des silhouettes d'une pièce à l'autre : la cuisine s'allumait, puis elle s'éteignait, ensuite la chambre s'allumait, puis elle s'éteignait, puis tout s'allumait. Un vrai sapin de Noël. Je devinais des visages. Imaginais des dialogues. Je me demandais : que font-ils ? De quoi parlent-ils ? Sont-ils heureux ? Puis machinalement mon regard a obliqué vers l'immeuble d'en face, la première entrée, le troisième étage, là où elle habitait. Sa chambre était allumée. Mais je n'apercevais pas son ombre défiler devant la fenêtre. Elle devait être allongée sur son lit. J'avais peur de m'imaginer blotti contre elle. Pris au collet, ma boussole ne perdait pas le cap de cette étoile du Nord. J'ai ouvert la fenêtre du balcon et je suis sorti, pour rêver en vrai. J'ai respiré fort, une sensation de puissance est venue. J'ai visé en bas le parking qui avait fait le plein comme un puzzle sans pièce manquante. Toutes les voitures étaient rentrées de leur journée. J'ai cherché des yeux une 2 CV avec une capote. Je me suis dit : si jamais je chute du dix-septième étage, il faudra que ce soit sur le toit d'une 2 CV, ça fera moins mal. Je pourrais remonter rassurer Yemma. Je me trouvais d'une légèreté à toute épreuve, en état d'apesanteur, quand je pensais à elle. Elle me donnait des ailes.

Soudain, son ombre a rasé sa fenêtre, mon cœur s'est mis à bafouiller, je me suis dit : calme-toi, calme-toi, elle ne va pas s'envoler. J'ai resserré le diaphragme de mes pupilles pour mieux discerner dans le noir, mais aussitôt, elle s'est évanouie dans une autre pièce. Même pas eu le temps d'apercevoir les lignes de sa silhouette. Mais je les connaissais parfaitement. Depuis le temps que je la traquais !

Quelqu'un s'est glissé dans ma chambre. J'avais éteint les lumières pour être dans le noir. Yemma a poussé la fenêtre. Elle m'a vu. Elle a dû deviner le défi secret que je voulais lancer aux dix-sept étages de notre immeuble et cette ridicule hypothèse de 2 CV avec capote : « Pourquoi tu es seul sur le balcon ? Tu n'as pas froid ? » Avant que je réponde, elle a demandé pourquoi je ne m'étais pas fait cuire une omelette. Et avant que je dise un mot, elle m'a dit de rentrer, que je risquais de prendre froid. C'était ma mère. Nous l'appelions toujours Yemma.

☆

Sétif

La maison comportait deux étages. Le troisième restait couché sur les plans de l'architecte. Il fallait beaucoup d'argent pour construire. Les deux premiers avaient déjà coûté plus que les économies de mon père. Un jour, un des maçons qui cimentait le balcon du deuxième a perdu l'équilibre, le malheureux est tombé sur le bitume de la rue. Il n'est pas mort. Il s'en est tiré avec les membres cassés. Pas eu la chance d'avoir une 2 CV en bas pour cueillir son élan.

Lyon

La fille d'en face s'appelait Anna. Je ne pouvais pas avouer à ma mère que cette indigène avait trouvé une faille dans mon cœur. Elle aurait rétorqué : Elle n'est pas comme nous. Ou bien : A quoi sert la demeure du retour que nous bâtissons là-bas, si tu te laisses prendre ici? J'étais déjà otage de la maison de Sétif, alors qu'elle était en voie de développement.

Je ne pouvais même pas avouer à Yemma que j'épiais les filles derrière les fenêtres de leur chambre, elle aurait eu un malaise. Elle, elle parlait toujours de la femme qui me donnerait des enfants, sa bru, qui irait vivre dans sa maison, dans son pays, loin d'ici. Elle savait parfaitement de quel bord elle était, même si parfois elle avait des doutes, comme ce jour où nous parlions d'un temps où je serais grand, et qu'elle m'avait dit : « Lorsque tu devras choisir entre moi et ta femme, tu choisiras “elle”, tous les fils font ça, ils abandonnent leur mère pour une épouse. » Elle en était triste à crédit. Je m'étais défendu, jurant par Sid El Khier que jamais personne ne prendrait sa place. Elle me testait au sujet de sa peur de se retrouver seule, un jour, sans moi, ici. Elle aimait s'inventer des frayeurs enfantines. Mais elle craignait réellement les histoires d'amour, parce que les hommes, disait-elle, y laissaient leur raison. Alors, pour ne pas décevoir Yemma, j'ai appris à bétonner mes sentiments. Être inébranlable. Je me suis entraîné fort pour devenir un champion d'inamour. Antisismique.

A la vérité, c'était insuffisant. La fille d'en face s'appelait Anna. Il suffisait que je prononce son nom pour me transformer illico en oiseau-lyre capable de bondir de mon balcon, voler pour de bon, aller me poser sur le rebord de sa fenêtre, la contempler. Yemma pouvait-elle imaginer une prise de risque pareille pour un cœur féminin ?

– Allez, rentre, ne reste pas tout seul sur le balcon, je n'aime pas te voir ici, elle a avoué en faisant mine de sortir de ma chambre.

Je suis revenu au chaud. En refermant les fenêtres, j'ai jeté un dernier coup d'œil vers l'ombre d'Anna dans la lumière. J'ai dit à ma mère : « Voilà. » Elle m'a scruté une seconde, et elle m'a dit : « Qu'est-ce qui ne va pas ? Quelque chose te tracasse ? » J'ai objecté : « Non, non, qu'est-ce que tu veux qu'il y ait ? » Elle a hésité avant de réagir : « Je sens quelque chose de pas bien. » J'ai rassuré : « Non, non, tout va bien. Al hamdoulillah. » Mais derrière moi, pendant que je lui parlais, je sentais la présence d'Anna, là-bas, sur son lit, peut-être nue, adossée contre un coin de mur, avec une armoire à côté d'elle où elle rangeait ses affaires, les jambes croisées. Elle lisait. Ses cheveux étaient blonds. Et longs. Et soyeux. J'arrivais très bien à rêver dans les détails. Était-ce cela, le sentiment d'amour ?

☆

Le téléphone a interrompu ma rêverie. J'ai sursauté. Ma mère a pris une décharge, elle s'est contractée. Chaque fois que le téléphone sonnait, elle cessait de respirer : ce ne pouvait être qu'un malheur. Une mort. Un accident. Un tremblement de terre. La maison qui s'écroule. Tétanisée, elle ne cillait plus, attendant qu'une voix énonce les dégâts. La sonnerie a retenti une seule fois. Chez nous, elle n'avait jamais le temps de retentir davantage, car il y avait toujours une âme à proximité pour se jeter sur le combiné. Yemma a grommelé une prière au ciel pour que cet appel apporte le bonheur et éloigne le malheur : « Astarfighullah. » Elle a proféré ce mot par saccades. Résultat : elle m'a transmis son angoisse. Je me suis mis moi aussi à redouter une mort, un accident, un tremblement de terre, des fondations qui s'enfoncent dans le néant. J'ai fermé les yeux et j'ai dit : Anna, Anna, Anna. C'était ma prière à moi.

– Farid, c'est pour toi le téléphone ! a crié ma sœur.

– C'est qui ?

– Gaston, ton entraîneur.

Je me suis dit : tiens, c'est drôle, que veut-il ? Va-t-il me demander à nouveau de quel bord j'étais ? Il veut remuer le tison dans la plaie.

J'ai saisi le truc dans ma main, décidé à exercer mon inamour.

– Allô, Farid ?

Je n'ai rien dit.

– Je voulais te dire…

Même sa voix, je la haïssais.

– Je vais te parler franchement… voilà, collectivement, on a décidé qu'on ne souhaitait plus que tu fasses partie de l'équipe.

C'est exactement ce qu'il a dit. Pourquoi n'ai-je pas raccroché à ce moment-là ? C'était à moi de l'envoyer au diable, jamais je n'aurais dû lui laisser le temps de parler. Je m'en voulais à m'en faire saigner les lèvres de rage. J'aurais dû l'apostropher sans ménagement. Au lieu de ça, je l'ai écouté poliment, une hérédité malheureuse de mon père. Gaston parlait dans le vide, maintenant. Il m'avait donné la nausée. A la fin de sa conversation, il a dit « au revoir ». Comme si nous allions nous revoir ! J'ai raccroché sans saluer. Tout mon corps me démangeait.

☆

La nuit était déjà bien entamée et je ne parvenais pas à m'endormir, trop épuisé pour céder au sommeil. Mes nerfs secouaient mon corps par de violents soubresauts, comme si je recevais des décharges électriques. Mes ampoules allaient toutes griller. Parfois, pendant un moment, je m'endormais et je voyais dans ma nuit paradoxale mon pied marquer des milliers de buts, l'un derrière l'autre. Entre deux, j'assenais des coups de tête à mon entraîneur et son sang éclaboussait les murs du vestiaire. Mon radio-réveil éclairait de sa pâle clarté bleutée les fleurs de ma tapisserie murale. J'ai dû m'assoupir pour de bon vers deux heures du matin.

Il était exactement trois heures vingt-quatre quand tout s'est déclenché. Mes coéquipiers m'ont sauté dessus, m'ont immobilisé sur le lit et voulaient me ligoter pour me lyncher. Je me suis débattu, j'envoyais des coups de tête, j'ai crié : « Non, non, je suis avec vous, je suis avec vous ! » Je ne voulais pas rester seul au monde. C'était une sensation horrible, je vociférais et j'entendais ma voix dans ma bouche, à huis clos. Je criais dedans. J'étais sur l'un des deux bords, entre cauchemar et réalité, avec ma voix au milieu qui faisait le messager entre le temps d'hier et le temps de demain, essayant de coller les deux bouts. Un tremblement de terre sur mon matelas, voilà ce que je voyais dans le noir. Comme en plein jour.

Sur le coup, au beau milieu de la nuit, je ne savais pas qu'il s'agissait d'un séisme – comment pouvais-je deviner ? –, je voyais seulement la terre s'ouvrir et aspirer dans une énorme crevasse tout ce qui se trouvait à sa surface, des arbres surtout, chênes et platanes, de si grands colosses qui se brisaient comme des fétus de paille. Le vent violent sifflait plus fort qu'une alarme de pompiers à New York. Il y avait des maisons sens dessus dessous, des enfants qui pleuraient en silence, et des *fellahs*, des paysans qui plaquaient leurs mains sur leur tête enturbannée en hurlant : « Quel malheur, quel malheur ! » avant de se faire happer par la terre, eux aussi, et disparaître dans le néant. J'ai crié à nouveau. Mais cette fois mon tapage a réveillé Yemma, elle m'a tapoté la joue pour me ranimer, j'ai demandé l'heure, elle m'a dit : « Trois heures vingt-quatre. » Elle priait. « Qu'as-tu ? » Avant que je réponde, elle a dit que j'avais rêvé et elle a remonté la couverture sur mes épaules, comme quand j'étais son tout petit boutchou.

Un tremblement de terre ! J'avais vu un tremblement

de terre dans ma nuit, un cataclysme qui ranimait en moi des impressions familières, des choses connues. Sur le coup, mes sensations étaient confuses, mais elles me renvoyaient à une dizaine d'années auparavant, lorsque j'avais vécu un séisme dès le premier jour de mon arrivée dans la maison à Sétif. Mon corps avait enregistré ces ondes sur son sismographe.

☆

Sétif

Ces noms de bateaux résonnaient dans mon cœur : *Kairouan, Ville-d'Oran, Tassili*... Tous les mois d'août, c'était la fête dans ma famille : ces nobles bateaux blancs nous ramenaient chez nous, là où tous les indigènes avaient la même tête que nous, frisée et bronzée. J'aimais retrouver leurs sourires, sentir les odeurs fortes du gasoil sur le bitume, la chaleur insupportable, les attentes à la gare d'Alger pour prendre le train jusqu'à Sétif. Il fallait presque quatorze heures pour faire trois cents kilomètres ! Mais au bout c'était ma maison, le train pouvait bien mettre trois jours s'il voulait.

Au crépuscule, le train traversait la quiétude des villages nichés sur des plateaux, alors il peinait comme une tortue exténuée, perdait tellement de sa vitesse qu'on pouvait en descendre et remonter sans risque. J'en profitais pour aller me loger sur les marches d'escalier et contempler les paysages éblouissants qui défilaient au ralenti devant moi. On voyait même des ânes, des dromadaires, des cigognes, des singes dans les gorges escarpées.

Au loin, des nuées d'enfants s'agitaient autour des villages socialistes ou des villages tout court. Dès qu'ils apercevaient le train, dans un branle-bas de combat cafouilleux, ils se ruaient sur lui pour le prendre d'assaut en piaillant, en short, pieds nus, les bras brassant le ciel rayé par les hirondelles. Certains couraient à côté des wagons comme des dauphins au flanc d'un bateau, d'autres tendaient la main pour recevoir quelques pièces de monnaie, d'autres encore essayaient de refourguer leur marchandise : un casse-croûte roulé dans du papier journal, une petite bouteille de Coca ou de Fanta, des pistaches, des cacahuètes. Le vendeur d'eau fraîche, un petit bonhomme tout nu sous son tee-shirt, m'avait tant ému avec toutes les opérations qu'il devait réaliser simultanément : courir comme les autres, remplir un verre, le servir au client assis sur les marches du train, reprendre le verre et encaisser ! Tout un art. Sur les visages des enfants, les sourires édentés s'étiraient jusqu'aux oreilles.

Puis le train commençait à reprendre de la vitesse et les petits coureurs étaient happés vers l'arrière du décor. Le sol se dérobait sous leurs foulées glorieuses. Ceux qui attendaient leur dû persévéraient dans leur course, la langue prise en tenaille entre les dents, jusqu'à ce que les voyageurs lancent des pièces, le verre utilisé, ou bien la consigne de la bouteille vide. Alors, ils se vautraient à corps perdu sur les pièces tombées à terre, comme des mouettes, et les huées étaient étouffées progressivement dans le silence du paysage. Le train reprenait sa respiration de croisière. Le calme engourdissait les compartiments où les fumées de cigarettes brouillaient la fin du crépuscule.

Je restais sur les marches d'escalier les yeux grands ouverts pour m'imprégner des paysages de mon pays.

La nuit finissait de charrier le soleil mauve et rond et installait ses touches de lumière dans les champs de blé.

Les lampes s'allumaient dans les voitures. Des voyageurs enfouissaient les mains dans leurs sacs pour en sortir des casse-croûte, des pastèques, des melons, de la galette, des dattes... ils partageaient leurs provisions avec les inconnus autour d'eux.

Je m'assoupissais. Le train arrivait à Sétif vers minuit. Chaque fois, j'étais ému de savoir que dans cette terre mon père et ma mère avaient été enfants. A douze kilomètres de Sétif, dans le village d'El Ouricia, nous allions voir la ferme du colon français où ils avaient travaillé et survécu. Mon père rencontrait sur la place, dans un café, des vieux qu'il connaissait depuis toujours et j'étais encore plus fier d'être son fils. Ici, il était *quelqu'un*, avec des amis, une histoire.

Minuit en gare de Sétif. Les *zimmigris* de France débarquaient avec leurs containers de bagages ! Et aussitôt deux ou trois noctambules qui erraient dans les environs se proposaient de nous aider à transporter nos valises jusque chez nous en nous souhaitant la bienvenue.

Ce mois d'août, j'étais venu seul passer mes vacances dans la maison. J'ai mangé au rez-de-chaussée chez Akila, la gardienne des lieux. Vers dix heures du soir, je suis monté me coucher dans une chambre blanche et vide, au milieu de laquelle était jeté un matelas mousse recouvert de draps secs et rêches. Je me suis allongé, j'ai plaqué mon regard au plafond, et c'est à ce moment que la déflagration s'est produite : j'ai ressenti une lame de fond, en provenance des confins du monde, la terre s'est mise à bourdonner, elle était en colère, un grondement sourd. J'ai imaginé tout de suite que c'étaient des morts, des millions de morts, qui se vengeaient d'être défunts, rappelant aux vivants leur existence souterraine. Ils nous insultaient. J'avais même l'impression qu'ils m'en voulaient à moi personnellement, alors que je n'étais pour rien dans leur sort. J'avais le vertige et la chair de poule. Je ne sentais plus l'ordre des choses, comme dans le grand huit de la fête foraine de Lyon. Le tumulte se resserrait autour de moi tel un roulement de tambour, en même temps, il gardait ses distances, inaccessible, éloigné, au centre de la terre. Des voix humaines se sont alors échappées des maisons, des appartements, et ont gonflé la rue.

– Zenzela ! Zenzela ! Elle est venue.

Oui, mon corps avait enregistré ces ondes pour toute la vie. Ce sont elles, exactement, qui dix ans plus tard revenaient à la surface de mon cauchemar.

Lyon

Le lendemain matin, je me suis réveillé comme si j'étais mort cette nuit. J'avais vu l'accident géologique en direct et mon corps était transi à cause du choc. Je n'étais même pas sûr d'avoir réellement échappé à l'engloutissement.

Un tremblement de terre monstrueux ! Mais il ne s'était pas produit dans le village natal de mes parents, là où notre maison du retour nous attendait. Je l'avais localisé ailleurs.

Mon réveil marquait sept heures. Il n'avait même pas sonné, j'avais devancé la sonnerie, première fois dans ma vie. Malgré mon état sinistré, il fallait me préparer à partir au travail comme un jour normal. Les courbatures du match de foot de la veille m'avaient durci les jambes. Après la salle de bains, je suis allé à la cuisine et j'ai allumé la radio. La bombe a explosé dès que j'ai tourné le bouton *on* : une voix a annoncé dans un flash d'informations un tremblement de terre à El Asnam. On comptait déjà des milliers de morts. La ville entière était en ruine. Je me suis affalé sur une chaise, je me suis pincé et j'ai essayé d'appuyer sur toutes les touches du poste de radio pour réécouter ce que je venais d'entendre, mais la voix continuait de débiter ses informations linéairement sur les ondes. Je faisais n'importe quoi. Je me suis assis par terre, j'avais chaud et froid, je voulais aboyer à la mort pour alerter la population, dire que j'avais vu ce tremblement de terre dans mon sommeil, mais j'étais chevillé au carrelage de la cuisine.

– Oh merde ! Oh merde !

Je ne pouvais débiter que des onomatopées.

La voix de la radio donnait des caractéristiques techniques sur la secousse tellurique, la ville d'El Asnam désormais rayée de la carte, les antécédents sismiques dans la région. Des dizaines de milliers de pauvres gens avaient perdu leur vie dans cette nuit crevée. Et moi je pensais dans ma tête : pourquoi le bon Dieu m'a projeté ce malheur en avant-première ? Comment fallait-il interpréter une telle prémonition ? J'étais devenu marabout, voyant, troisième œil. J'ai augmenté le son de la radio pour ne pas rater un mot des nouvelles.

J'ai entendu ma sœur claquer la porte d'entrée en partant au travail. Prisonnier de mes onomatopées, je ne pouvais même pas l'informer.

Puis ma mère est arrivée dans la cuisine. Elle m'a dit

bonjour. Elle a aussitôt compris que le monde était fissuré. Je lui ai annoncé la catastrophe :

– Il y a eu une zenzela à El Asnam.

Elle a aussitôt dit :

– Et à Sétif?

J'ai répondu que notre ville avait été épargnée. Ses yeux se sont quand même exorbités, elle a porté les mains à son visage comme si ses joues allaient se détacher, puis elle s'est assise. Elle a fait semblant d'écouter avec attention les propos du journaliste, en tendant l'oreille du côté du haut-parleur, mais en réalité elle ne glanait rien de ce qu'il disait. Parfois, quand le flot de paroles variait, elle faisait mine de saisir des idées cruciales, me fixait et demandait : « Qu'est-ce qu'il a dit, là ? » Alors je traduisais succinctement, le nombre de morts, les informations qui allaient empirant, et les plis de sa figure accentuaient leurs brisures. Deux minutes plus tard, elle réitérait : « Et là, qu'est-ce qu'il dit ? » J'essayais de faire de la traduction simultanée, sans trop trahir les faits. Puis au détour d'une phrase, je lui ai déclaré :

– J'ai vu ce tremblement de terre dans mon sommeil.

Elle m'a lancé un regard de femme africaine qui ne badine pas avec ces prémonitions. Elle m'a fait :

– Vas-y, raconte tout.

J'ai tout dit. A la fin de mon récit, elle a balbutié des mots pour m'informer que le Tout-Puissant m'avait envoyé un message à déchiffrer, seul Sid Ahmed le marabout de Vaulx-en-Velin avait la clef du transcodeur. J'ai dit : « Oui, oui, on en reparlera », et je me suis levé pour déguerpir. Il était sept heures vingt, l'heure exacte où, à l'arrêt du bus, j'allais pouvoir croiser Anna. Depuis deux ans, tous les matins se ressemblaient à la minute près dans mon emploi du temps. Je prenais le bus de sept heures vingt-deux sur la grande avenue.

Yemma m'a accompagné devant l'ascenseur sur le palier, martelant que ce soir, demain au plus tard, il faudrait que nous allions consulter Sid Ahmed, un acte essentiel pour la suite de ma vie. Elle a dit que les choses du ciel devaient éclore comme les fleurs. Elle a insisté sur le verbe *devaient*, car rien ne pourrait aller contre la destinée écrite pour moi sur le mont Olympe à Médine. Bien sûr, j'ai tout de suite pensé à Anna. Peut-être avait-elle été placée sur mon chemin par une légende ? Je me disais : afin de réaliser l'amplitude de mes tremblements pour elle, il faudrait m'inventer une échelle de Richter sur mesure et la graduer jusqu'à cent !

La voisine a entendu nos voix dans le couloir, elle est sortie, la langue pendue :

– Hou là là, vous avez entendu ce qui s'est passé ? Un tremblement de terre, y a des dizaines de milliers de morts ! C'est affreux, c'est horrible…

Qu'est-ce que nous pouvions rétorquer, ma mère et moi, oui, oui, c'est horrible, c'est terrible, c'est affreux, comme tous les mots qui veulent exprimer les joies et les peines d'un événement, mais qui n'expriment rien en vérité, parce qu'en des moments pareils, il vaut mieux s'incliner en silence. Puis la voisine a poursuivi : « Hou là là, ils avaient pas besoin de ça, là-bas. C'est bien votre pays, non ? » Elle le savait, mais elle avait besoin qu'on lui confirme, ce matin. Peut-être pour voir si le malheur était purulent. « Vous avez de la famille là-bas ? » Ma mère a répondu oui, alors que nous n'avions personne, à part des cousins éloignés qui venaient régulièrement nous rendre visite à Lyon pour des francs français, mais elle avait surtout en tête la maison que mon père avait fait construire durant l'exil, et qui avait enseveli toutes ses économies.

Il y a dix ans, la zenzela qui s'était aventurée sur les hauts plateaux de Sétif l'avait fissurée et en avait fait, désormais, un château de cartes. Quelques fissures anodines qui se sont infectées par la suite.

☆

Sétif

« Une secousse, une secousse ! » criaient les premiers réfugiés du dehors. On aurait dit qu'il s'agissait d'une ogresse, celle qui faisait frissonner les histoires d'enfants que Yemma racontait naguère. Une seconde est passée. Peut-être une et demie. Au plafond, que je continuais de fixer, un éclair a déchiré le plâtre en diagonale. Les murs se sont mis à tituber. Je voyais bien qu'ils faisaient un pas de deux avec la maison tout entière, le monde tout entier, et une fissure noire a traversé une des cloisons dans sa largeur. Soudain, à peine venait-elle de commencer, la représentation était déjà terminée. Les millions de morts avaient cessé leur complainte, les murs repris leur position initiale, les habitants du quartier envahi les rues. J'étais abasourdi par la rapidité d'exécution de la zenzela. Pour une arrivée au pays, c'en était une remarquable.

Je me suis rendu sur le balcon.

Bizarrement, les gens avaient l'air gais, surtout les enfants qui paraissaient survoltés. Les regards, braqués sur les maisons de chaque côté de la rue, évaluaient les dégâts, anticipaient les prémices d'une autre secousse.

Une femme m'a aperçu, elle m'a hélé : « Et toi, le passager, descends nous rejoindre, sinon ta maison va s'écrouler sur ta tête... il faut s'attendre à une autre secousse... l'une ne vient jamais sans l'autre... » Mine de rien, elle m'a inquiété. Je me suis habillé et me suis réfugié dans la foule.

Au pied des escaliers, j'ai croisé la vieille Akila, rescapée du temps de la colonie française à qui mon père louait un petit deux pièces du rez-de-chaussée où elle habitait seule. J'aimais la retrouver pendant les vacances, écouter son français châtié, son accent pied-noir de Bab el-Oued, ses mimiques napolitaines. Elle me demandait régulièrement des nouvelles du général di Goulle et de Jean-Jacques Rousseau et je lui en donnais, rassurantes.

Le visage illuminé, elle m'a accueilli dans les escaliers :

– Tu as vu ? Elle est venue, hein ? C'est toi qui l'as amenée de France...

Elle aussi faisait de la zenzela une ogresse qu'elle connaissait bien.

– Elle a failli nous emporter, hein... mais ce ne sera pas pour cette fois.

Elle a cessé de sourire, comme si, tout à coup, elle se posait la question du choix entre mourir d'un soubresaut terrestre ou d'une overdose de temps. Quand je lui ai proposé de venir avec moi dehors, elle a fait une grimace avec un air de dire : Qu'est-ce que je vais faire dans la rue avec tous ces badauds ? Puis elle a lancé : « Je préfère rester chez moi, tranquille. Je vais voir si la maison de ton père n'a pas souffert de la secousse. » Après, elle irait se recoucher.

☆

Dans la rue, la vie battait son plein. Les habitants se retrouvaient dans l'allégresse, hommes, femmes et enfants dans le même jardin fragile, sous un même ciel pur, étonnamment piqué de milliards d'étoiles, beaucoup plus nombreuses que dans le ciel de Lyon. De jeunes gens servaient du café à qui en voulait, d'autres offraient des gâteaux en faisant du cabotage entre les groupes qui s'étaient formés. L'un d'eux est venu vers moi. Il m'a présenté un plateau sur lequel était posée une cafetière encore brûlante : « Sers-toi, mon frère. » J'étais fier qu'il ne m'appelle pas « le passager » comme l'avait fait auparavant la voisine. J'ai gentiment repoussé l'offre, le café m'incitant trop à la nuit blanche, et je suis parti déambuler un peu dans la foule. Pas après pas, j'admirais le spectacle de ces gens qui avaient plutôt l'habitude de vivre dans les intérieurs, volets fermés, hommes et femmes chacun de leur côté, et qui espéraient secrètement l'occasion d'une zenzela pour enjamber leur mitoyenneté et se regarder, se voir, s'apprécier, s'évaluer. Jeunes filles et garçons, qui depuis des semaines s'étaient accommodés de regards volés à la pliure de rideaux de fenêtres ou l'entrebâillement de portes, pouvaient enfin s'isoler dans la foule, utiliser le tremblement de terre comme prétexte pour se concocter une rencontre un de ces jours en ville. Des personnes âgées avaient déplié leurs chaises sur le trottoir. Drapées dans des couvertures, elles regardaient le défilé du carnaval insolite. Il n'y avait plus de règles strictes, plus de principes rigides, plus de barrières, les gens réalisaient qu'ils vivaient hors jeu, hors du temps – la zenzela n'annonçait-elle pas, après tout, l'occurrence d'une mort imminente à quelques degrés de Richter près ? Alors ils se réchauffaient les uns contre les autres, pour une fois, et puis après, Inch'Allah.

Le peuple semblait si fataliste vis-à-vis des tremblements de terre.

Les langues se déliaient. Le besoin de dire était si fort que je croisais des jeunes et des vieux qui discutaient face à face en débitant en même temps des phrases sans ponctuation. L'essentiel était de causer, pas d'écouter. Au début, peu après la fin de la secousse, ils avaient naturellement parlé de la zenzela, mais bien vite le sujet était épuisé, on ne pouvait en effet pas disserter éternellement sur les choses de Dieu, et les thèmes de discussion avaient dévié sur la vie avec ses jours qui passent, le prix de la viande qui frôlait l'inacceptable, l'introuvable sucre, l'introuvable café, l'introuvable ciment et tous les autres introuvables qui envenimaient la vie quotidienne des fellahs. Finalement, à regarder de plus près, une bonne zenzela « numéro 9 de Richter » ne détruisait-elle pas les fondations de la société et n'offrait-elle pas une excellente occasion de repenser l'organisation d'une véritable démocratie populaire et socialiste ? Les sujets de conversation frisaient la subversion. Pourquoi le peuple devait-il toujours payer les pots cassés, à la boucherie, à la boulangerie, au souk ? Le pouvoir politique ne pourrait tolérer ce libertinage plus de quelques secondes. Au milieu de la foule, je démasquais des agents de la sécurité militaire qui laissaient traîner leurs oreilles, repérant parmi les discussions les trublions de l'ordre public. Des rapports seraient faits au représentant de l'administration. On conclurait qu'il faut analyser les causes scientifiques des tremblements de terre pour éliminer définitivement de la surface de la société ces risques d'explosion sociale majeurs. On intenterait un procès contre le globe terrestre pour tentative de déstabilisation de la République Socialiste Démocratique et Populaire.

J'étais un passager, certes, mais je voyais très bien qu'il y avait un truc qui ne tournait pas rond dans cette démocratie forcée. Des odeurs de soufre jaillissaient des canalisations défoncées.

☆

Lyon

L'ascenseur a ouvert ses portes métalliques. Je m'y suis faufilé à la hâte. J'étais en retard pour mon bus, je n'avais pas de montre pour le vérifier, mais j'en avais l'intuition. J'allais manquer Anna à l'arrêt. Elle, elle prenait le 36 qui faisait la liaison Duchère-Minguettes de Vénissieux. Ma mère l'empruntait souvent pour aller rendre des visites d'après-midi à des amis de son village natal qui habitaient une tour du quartier dit « de la Démocratie ». Et Anna ? Quels lieux fréquentait-elle ? Je ne lui avais jamais demandé. Je ne lui avais même jamais parlé. Il me faudrait un tremblement de terre dans les immeubles pour forcer le hasard et me procurer assez d'aplomb pour l'aborder.

– Belle secousse, n'est-ce pas ? Vous vous appelez comment ?

Une sacrée zenzela qui mettrait à genoux cette dizaine d'immeubles hauts de quinze et dix-sept étages, y compris la tour panoramique hexagonale. Une belle zenzela qui ensevelirait dans un remblais de béton armé près de vingt mille habitants, tout ça pour savoir son nom-prénom. Anna… Anna comment ? Je ne savais même pas.

☆

Au dixième étage, l'ascenseur s'est arrêté, Patrick est apparu, somnambule, les paupières encore scellées par la colle matinale. Il m'a salué et il a appuyé sur le bouton pour que l'engin descende, mais l'engin ne voulait pas bouger. Et pour cause, il pressait le bouton de l'étage où nous étions arrêtés au lieu de celui marqué RDC.

J'ai dit :

– Vite, je suis pressé.

– *Piano, piano*, moi le matin je sais plus où j'habite.

L'ascenseur est arrivé en bas, je l'ai laissé, il devait passer chez sa sœur. Je n'ai pas cherché à savoir s'il avait écouté les informations. J'ai poussé violemment la porte de l'ascenseur pour m'éjecter le plus rapidement possible. Heureusement, elle n'a pas déséquilibré M. Vicenti, l'handicapé. Pour le prendre de court et l'empêcher de déverser sa haine matinale, je lui ai demandé : « Vite, l'heure ! », il a élevé son poignet vers ses yeux et j'ai vu les aiguilles avant lui, sept heures seize, j'ai remercié et j'ai couru à l'arrêt du bus. Il ne me restait plus qu'une poignée de secondes pour la voir. J'ai sauté des marches d'escalier quatre à quatre, pris des virages à la corde, dépassé des escargots sans klaxonner et j'ai déboulé sur la grande avenue en même temps qu'une foule d'individus qui déferlaient dans les mêmes tranches horaires pour embarquer dans les bus. Les arrêts du 44 et du 36 se faisaient face. Elle, elle prenait le 36 qui partait à droite, moi, le 44 qui filait à gauche. Son bus passait toujours le premier, cela me permettait, avant qu'il arrive, de me délecter de sa présence pendant de précieuses secondes, puis de la regarder partir, debout sur la plate-forme arrière, comme sur le quai d'un port de mer.

L'avenue grouillait en silence.

Elle était là, lumineuse, ses cheveux rebondissant sur ses épaules, épousant la ligne de sa fine silhouette. Je n'avais jamais pu discerner la couleur de ses yeux : verts ou marron ? Au centre de l'Abribus, elle gardait une posture pharaonique, immobile comme à Abou Simbel, parfaitement droite, sa jupe tombant sans aucun pli sur les genoux, avec, en main, un petit cartable. Elle attendait.

J'ai traversé l'avenue pour rejoindre mon arrêt. Dès que je l'ai aperçue, j'ai d'abord adressé une bénédiction au bon Dieu pour avoir si bien coordonné mon arrivée. Et je l'ai contemplée. Les grains de ma peau se mettaient deux par deux et se frottaient les mains, tant leur bonheur était grand. Je marchais sur la chaussée, sa présence était partout. D'autres gens attendaient le bus avec elle, des ombres solitaires. Au beau milieu du bitume, une voiture a pilé à quelques centimètres de mes tibias, faisant crisser les pneus. J'ai sursauté et placé les bras en avant pour amortir le choc. « Eh mec, tu dors encore ou quoi ? » Patrick, enfin lucide, vautré à la place du mort dans la voiture de sa sœur, venait d'écouter sur les ondes de l'autoradio la nouvelle de la zenzela d'El Asnam. « Tu peux rien y faire, il a dit. Par contre, tu peux quand même faire attention en traversant la rue. Ça peut servir… A ce soir chez Jésus ? »

J'ai dit d'accord. J'avais intérêt à redoubler de vigilance lorsque Anna se trouvait dans mes peaux territoriales. Bien qu'elle fût mon phare, j'étais capable de m'échouer sur le premier récif venu. Ce n'était pas à elle de crier « Attention ! ».

Tiens… mais, au fait, me suis-je dit après coup, pourquoi n'a-t-elle pas crié « Attention ! » quand elle a vu la voiture qui fonçait sur moi ? Lui étais-je si indifférent ? J'ai dit « Stop ! Stop ! » et je me suis repris. J'ai voté une résolution : je n'allais quand même pas me mettre à me poser des questions saugrenues de bon matin ?

☆

Sous l'Abribus, il faisait frisquet, le jour était encore à s'extraire de son halo de brume et je la regardais émerger vers la netteté. Je m'étonnais de ce que les autres n'avaient pas les yeux braqués sur elle. J'étais son voyant exclusif. Tant mieux. Une vingtaine de mètres nous séparait. Cette distance m'autorisait à la fixer, à lui parler avec des jumelles à longue portée. Il me semblait qu'elle faisait la même chose. Je projetais mes yeux dans les siens, et elle, elle ne se gênait pas non plus. Lorsque nous étions prostrés dans cette correspondance muette, elle jouait à la poupée de cire du musée Grévin. Elle paraissait insensibilisée. Que voulait-elle me prouver ainsi ? A ce jeu-là, elle était beaucoup plus forte que moi. Elle cherchait peut-être à me repousser. Elle avait l'air de me provoquer : crois-tu m'impressionner avec tes regards perçants ? Un défi de pupilles pareil à celui des corridas, quand sonne l'instant où le taureau et le matador s'isolent dans un monde à deux places, au pied des gradins qui retiennent leur souffle. Il fallait que l'un de nous deux baisse les yeux.

A l'arrêt du 44, j'étais du signe du taureau.

Heureusement, Anna ne pouvait pas être cruelle. Elle se tenait bien trop droite pour s'abaisser à ces joutes infantiles. Nos regards tissaient un pont au-dessus de l'avenue. Vingt mètres de long. Je pouvais lui expédier des sentiments de fond. A la façon dont je la contemplais, c'était clair, elle comprenait que je l'aimais. N'importe qui pouvait lire ça, même cet ignoble collègue qui venait d'arriver à l'arrêt de bus, à qui je n'adressais plus la parole parce qu'il défendait encore l'Organisation Armée Secrète, vingt ans après l'indépendance de ma République Démocratique Socialiste et Populaire. Il devait bien constater, comme tous les autres, que j'étais hypnotisé par l'Abribus d'en face. Mais dans le regard d'Anna, l'écriture était floue. Si elle m'avait envoyé un signe, l'esquisse d'un sourire, un hochement de tête pour me dire bonjour, j'aurais peut-être surmonté ma timidité sans attendre une zenzela et je serais allé lui demander : Comment tu t'appelles ? Mais rien. Elle me laissait comme ça, menotté dans mes doutes, de l'autre côté du pont, sur l'autre bord, comme disent les footballeurs insensés.

Le 36 est arrivé. Elle a embarqué. Elle s'est installée à l'arrière, debout, le dos contre la vitre. Je ne pouvais plus me figurer son visage. Le bus a démarré. Elle est restée dans sa position, ne donnant plus à voir que ses beaux cheveux flottant sur sa nuque. Je me suis senti abandonné. Le chauffeur du bus a passé lourdement la première vitesse, puis la deuxième, emmenant Anna. J'ai prié, j'ai dit : Bon Dieu, fais qu'elle se retourne, prends ses épaules et fais-la pivoter, que je voie son visage. Les rayons que dégageaient mes yeux étaient presque visibles, tant l'énergie était palpable. Le miracle s'est produit. Elle s'est retournée. Ses yeux ont vu les miens. Se sont touchés. Elle s'est retournée ! J'ai dit : « Merci, bon Dieu ! » Puis j'ai serré le poing de ma main droite et j'ai crié : « Yeaahh ! » Des gens autour de moi se sont crispés. Entre mes dents serrées, je louais de vive voix ma chance : « Elle s'est retournée ! Elle s'est retournée ! Yeaahh ! Yeaahh ! »

C'était la première fois depuis ma passion qu'elle nouait pour moi un ruban blanc à son balcon.

Le 36 a disparu. Le 44 est arrivé. Je m'y suis engouffré en suivant comme un mouton les autres passagers. Je ne discernais plus rien, tellement heureux. L'ignoble M. Oas – je l'appelais ainsi – n'avait cure du mépris que je lui vouais. J'avais clairement exprimé ma répugnance pour sa personne, mais il s'acharnait à me parler. Je suis allé m'arrimer à une poignée au milieu du bus, il m'a suivi comme un chien. J'allais lui dire : Oh, mon gars, faut savoir ce que tu veux, l'Organisation Armée Secrète et le Front de Libération Nationale sont en guerre, d'accord ? Alors, tu restes dans tes positions et je reste dans les miennes. Comme il n'était pas un garçon sociable et que j'étais l'unique personne qu'il connaissait, il n'avait pas l'intention de me lâcher. Il a dit :

– T'as vu ?

– Quoi ?

– L'Algérie.

– Eh ben ?

– Le tremblement de terre.

– Eh ben ?

Haussement de sourcils.

– … Y a beaucoup de morts.

– Ouais.

– T'avais de la famille, là-bas ?

– Beaucoup de cousins, mais ils sont morts avant, pendant la guerre d'indépendance.

Il avait au bord de la langue une énormité à larguer, quand deux contrôleurs de tickets ont fait irruption dans le bus par la porte du milieu. J'étais juste en face. J'ai sorti ma carte d'abonnement. Pendant que M. Oas cherchait la sienne, je me suis esquivé vers le fond. Bon débarras. De toute façon, *j'avais lu* dans son esprit ce qu'il s'apprêtait à invoquer : que si les Français étaient restés en Algérie, il n'y aurait pas eu de tremblement de terre.

El Asnam

Les chiffres de la catastrophe. Dix mille morts, vingt mille, vingt-cinq mille... ensuite on ne comptait plus. A quoi bon ? L'ogresse avait faim, il lui fallait des tonnes de cadavres pour assouvir son appétit. J'ai vu des images aux informations télévisées, des petites maisons aux toitures et aux planchers écrabouillés dans les mêmes débris, abominables. Des gens hébétés tournoyaient autour des amas, cherchant des proches, leurs papiers, leurs économies. A quoi pense-t-on, alors ? me suis-je demandé. J'ai écouté un fellah répondre aux questions d'un journaliste. Il racontait que le village socialiste où il vivait avait été littéralement englouti dans une gigantesque crevasse. Il pleurait en regardant la caméra au fond des yeux, gémissant : « Nous avons tout perdu, nous n'avons plus rien. » Yemma, à côté de moi, a reniflé, puis elle a saisi un pan de sa robe pour sangloter dedans. La caméra a ensuite montré la route goudronnée qui reliait le village socialiste au reste du monde : défoncée. Une main d'ogresse armée d'un sabre géant avait lacéré le goudron, une cicatrice large d'au moins deux mètres, profonde jusqu'à l'infini ; dans cette canalisation, on ne pouvait rien voir, juste augurer des horreurs et s'attendre à voir jaillir une coulée de sang terrestre mousseuse, rampante, étouffante.

Sétif

Le fellah qui détaillait sa misère s'était présenté comme magasinier dans le village socialiste. J'avais déjà rencontré son sosie dix ans auparavant, aux portes du désert, derrière les monts des Aurès. La même tête, avec son turban autour du crâne, sa djellaba blanche et son visage en pâte à modeler flanqué d'une barbe en jachère. Je disposais – ô comble de l'indépendance (personnelle) – d'une 504 Peugeot que mon frère gardait là pour les vacances. J'avais un peu honte d'un tel privilège – tant de gens n'avaient pas de moyen de locomotion dans le pays – mais en quelques jours je m'étais accommodé d'une telle injustice et j'avais pris goût aux balades en compagnie de deux amis indigènes, Brahim et Saïd, dans les douars, au crépuscule surtout, pour surprendre ces secondes inouïes où les lumières de la fin du jour croisent en chemin celles du début de la nuit, et projettent sur les collines d'Aïn Ouelmen leur souvenir de noces quotidiennes.

Cette fois-ci, j'étais parti en solitaire, à l'insu de mes deux guides. Calfeutré dans le velours de la 504, j'écoutais – le son poussé à fond – des chansons d'Elton John, *Good Bye Yellow Brick Road*, *Funerals for a Friend*, *Beni and the Jets*, complètement en décalage avec le paysage qu'écartaient les ailes avant de la voiture, et l'émotion inondait mes yeux. Il me manquait une femme pour partager ce bonheur, une femme à aimer, à caresser. J'ai coincé Anna dans un rêve, j'ai laissé ma main droite tomber sur la fermeture à glissière de mon pantalon, là où toutes les fourmis de mon corps s'étaient donné rendez-vous comme à Woodstock et j'ai commencé à serrer, à palper, à étrangler vigoureusement mon sexe pour le soulager de tant d'emportements vains. Je conduisais d'une main, j'écoutais Elton des deux oreilles, et, sur la route tracée comme une gifle entre les collines d'Aïn Ouelmen, culminant au sommet de mon échelle de Richter, je gémissais de jubilation et de frustration. Les monticules qui avaient hérissé ma peau ont éclos dans une même efflorescence, libérant un plaisir chaud et froid. C'est à cet instant que j'ai aperçu le fellah sur la route, figé à un croisement, guettant le passage d'une voiture, d'un camion, d'un car ou d'un tracteur. En me voyant arriver, il n'a pas levé la main. Il m'a seulement regardé m'approcher de lui. Je roulais à faible allure. Je l'ai dépassé, feignant de ne pas avoir remarqué sa présence et lorsque je suis parvenu à sa hauteur, ses yeux ont sillonné mon visage pour savoir si j'étais quelqu'un d'ici, quelqu'un d'ailleurs, un policier, un militaire, un amoureux dissimulant une amante clandestine sous les banquettes arrière. Il n'a rien pu lire sur moi. Et pour cause, je n'étais qu'un fils de l'exil en villégiature au pays des racines, disposant par hasard d'un véhicule à quatre roues et, comble de l'indisposition, dont la main droite était engluée dans l'écume d'un amour en crue. Impossible de m'arrêter en toute décence. Cependant, le fellah a dû conclure que s'il me demandait de freiner pour le prendre en stop, il n'allait porter préjudice ni à mon honneur, ni à ma susceptibilité, ni à ma réputation. Quelques secondes lui avaient suffi pour déceler mon identité de sujet roulant non identifié, inoffensif. Il a hésité avant de hisser très légèrement la main droite, puis l'avant-bras, en même temps qu'il inclinait la tête pour me signifier que si je voulais bien prendre en considération sa demande de le transporter dans mon carrosse, que si j'acceptais de le laisser poser ses haillons sur le velours onctueux de ma Peugeot neuve, je serais chèrement récompensé par Allah.

J'ai poursuivi ma route, le temps de déchiffrer son message, de m'essuyer les mains et d'appuyer sur le frein. Il m'était douloureux d'abandonner ce malheureux à son sort, une urgence l'attendait peut-être chez lui, s'il lui arrivait malheur ce serait en partie de ma faute. La 504 a dérapé sur le gravier de l'accotement, me causant des sueurs froides, ce n'était pas le moment de l'envoyer dans le fossé. J'ai poussé le bouton de la radiocassette pour faire taire Elton John, j'ai jeté un coup d'œil au rétroviseur, le fellah n'avait pas bougé de sa place. J'ai passé la marche arrière. La voiture a crissé des roulements en reculant. Je suis arrivé à sa hauteur. J'ai baissé la vitre. Nous nous sommes souhaité le bonjour en même temps. Avant que je l'interroge sur sa destination, que j'apprécie si je pouvais l'y conduire, il avait déjà ouvert la portière et prenait ses aises. J'étais ennuyé. Je craignais qu'il ne me demande de l'emmener dans une contrée nichée au creux des montagnes et d'être ainsi obligé de rentrer à la maison de nuit, ma hantise. Il a souri. M'a tendu la main. Elle était dure et sèche.

– Où puis-je t'emmener ? j'ai demandé.

– J'habite au douar Béni Mezlough, derrière la colline où le soleil va se coucher, là-bas…

Tout en posant ses yeux brillants sur moi, il a indiqué une vague direction d'un revers de main.

– Y'allah, je t'emmène.

– Oh non, non, va où tu dois aller et dépose-moi quand bon te semblera. Je ne veux pas te détourner de ta route. Pour rien au monde, je ne voudrais que tu changes ton destin pour moi.

J'ai hésité. Il voulait juste que je l'avance un peu, comme on dit dans le jargon des auto-stoppeurs. Il s'est calé à la place du mort en prononçant une salutation angélique. J'ai démarré, il a commencé à raconter sa vie. C'est là qu'il m'a appris qu'il était magasinier dans un village socialiste, pas très loin d'ici, que les affaires ne marchaient pas très bien, mais que les perspectives seraient plus heureuses grâce à Dieu. Il remerciait et s'en remettait à Allah à chaque fin de phrase, en auscultant le ciel à travers la vitre à demi ouverte. Il s'était mis à décrire la sévère sécheresse qui sévissait dans sa région depuis de nombreuses années, la pénurie d'eau qui sanctionnait les familles de fellahs des alentours et pelait la terre ocre.

– Regarde, il m'a dit. Regarde, même la peau de l'oued a le cancer.

Sur notre gauche, le lit de ce qui devait être un oued suivait la même route que nous. Dans son sillage se pressaient d'innombrables vaguelettes d'argile sec, de même taille, larges comme des feuilles de platane, dont les bords incurvés vers le haut donnaient l'illusion qu'elles étaient en mouvement. Elles n'étaient que des leurres, souvenir figé d'un temps où cette région des hauts plateaux était appelée *le grenier à blé*. Le fellah a fermé son visage pour exprimer les dégâts qu'une telle ingratitude naturelle occasionnait. En lui, il avait stocké tant d'énergie à dépenser, de cœur à mettre à l'ouvrage pour faire renaître cette terre, en vain. Il n'y croyait plus, à moins d'un miracle. Il s'est tu quelques minutes, les mains croisées sur son ventre, la tête ployée du côté de l'oued aux vaguelettes pétrifiées.

– Comment c'est, le village socialiste ?

De prime abord, ma question l'a surpris. Ensuite, elle l'a dérangé. Pouvait-il avouer le fond de sa pensée à un inconnu ? Il m'a observé, tout en relevant sa main droite pour indiquer un mouvement de fatalité, d'impuissance, de découragement. Puis il a confié que les paysans se porteraient mieux si chacun travaillait pour son propre intérêt, en produisant et en vendant librement ses récoltes. Moi qui nourrissais l'ambition de participer un jour à l'idéal de la révolution agraire du pays – étudiants-paysans, même combat ! –, j'écoutais ce point de vue avisé avec intérêt. Il n'en a pas dit plus.

Nous avons roulé, l'un et l'autre embringués dans des pensées où se mêlaient nostalgie et colère, jusqu'à ce qu'il s'écrie : « Là, stop, arrête-moi là ! » Il venait d'apercevoir un carrefour où nos routes pouvaient se séparer. J'ai freiné. Il m'a regardé et m'a demandé :

– S'il te plaît, accepte de venir dîner chez moi. Viens, je ne connaîtrais pas plus grand honneur...

Par réflexe, j'ai dit :

– Allah loue ton hospitalité, mon frère, mais je dois rentrer à la maison avant la nuit.

Il a supplié de plus belle.

– Je t'en prie, accepte. Nous mangerons ce qu'il y aura, pas plus...

J'étais toujours embarrassé chaque fois que je devais échanger ce genre de politesse protocolaire qui faisait partie de la culture locale, mais je n'ignorais pas que mon auto-stoppeur avait lancé son invitation par convenance, je n'allais pas briser sa vie, si je la déclinais. Je pensais même qu'il s'attendait à mon refus.

– Non, non, vraiment. Que Dieu te couvre de belles choses, toi et ta famille, mais je dois dire non, pour cette fois. Une autre fois, Inch'Allah...

Il a baissé ses bras, ouvert la portière, non sans avoir cherché pendant plusieurs secondes à repérer la poignée, sadiquement planquée par les techniciens de Sochaux, répétant plusieurs fois *Inch'Allah*, puis il est descendu de la 504. J'étais étonné qu'il ne me tende pas la main. En fait, il a fait le tour de la voiture pour passer de mon côté, et à ma grande surprise, au lieu de me saluer, a soulevé sa djellaba pour accéder à une poche de son pantalon, a enfoui sa main et l'a ressortie en tenant minutieusement un porte-monnaie en cuir râpé. Le visage plaqué sur sa fortune, il a dit : « Combien ? » J'ai fait un signe de la tête pour dire : Combien quoi ? – bien que j'eusse déjà compris qu'il voulait payer le service rendu. Il m'a reformulé sa question, et j'ai dû me défendre avec mes tournures de courtoisie pour le convaincre que je l'avais pris en stop seulement par plaisir et solidarité envers la paysannerie marcheuse, que je n'étais pas chauffeur de taxi clandestin et de surcroît, que je n'avais pas besoin d'argent, contrairement à lui. Alors il a refermé le porte-monnaie, l'air de dire au bon Dieu : Tu as vu, hein, j'ai essayé.

On voyait qu'il avait l'habitude de converser avec lui-même, à force de traîner son ombre fantomatique sur les interminables routes goudronnées du pays, épiant les véhicules de passage. Il éprouvait du mal à comprendre une telle charité, de cette façon, sur un banal accotement d'une route, sans témoin. Moi, j'étais étonné de sa surprise. Comment ? Dans le pays de mes ancêtres, mon hospitalité n'était donc pas chose naturelle ? Ainsi, les paysans des villages socialistes qui faisaient de l'auto-stop sur les routes de la Révolution devaient rémunérer les chauffeurs auto-stoppés ?

Un monde à l'envers.

Quand le fellah m'a regardé, les collines d'en face qui abritaient son douar se sont mirées dans ses yeux. Il m'a offert une dernière fois de venir goûter l'eau de son puits, j'ai souri pour clore le protocole. Il m'a enfin tendu la main. Lorsque je lui ai présenté la mienne à travers la vitre, il s'est plié pour la baiser comme si j'étais un prince du désert. Il m'a dit : « Tu es l'envoyé de Dieu. » J'ai retiré ma main, presque violemment, à ma grande honte. Il a remercié encore, tourné les talons et s'en est allé tel un compas géant sur la route tendue qui conduisait à Béni Mezlough. J'ai regardé sa silhouette décliner dans le décor, au pied des collines, j'ai passé la première, les pneus ont encore piaffé sur la pierraille, et j'ai réengagé Elton John pour un nouveau concert. L'idée d'être une providence ne me déplaisait pas, au fond. J'étais fier de moi.

Lyon

Jésus habitait seul dans un appartement au quinzième étage. J'ai sonné chez lui. La nuit avait déjà caché la ville. Un orage pointait ses trombes dans le ciel frileux. Il m'a ouvert la porte, m'a fait entrer à la hâte. Il avait l'air aux abois.

– Suis-moi, ça va tomber sec dans un petit moment...

De son balcon, le panorama était aussi considérable que celui que j'avais de chez moi. Les monts du Lyonnais se projetaient, si bien ciselés, dans la tombée du ciel, qu'on avait presque envie de tendre la main pour suivre leur oscillation. L'orage grondait au-dessus d'eux et menaçait notre immeuble. Je me suis installé aux premières loges à côté de Jésus, les coudes plantés sur la rambarde de béton brut, et nous avons admiré ensemble, silencieux, les préparatifs de la bataille. L'orage contre l'immeuble. L'air avait, depuis une demi-heure déjà, un goût d'humidité pluvieuse. A présent, il en devenait gorgé. « Tu sens l'air ? Ça, c'est le sirocco », a deviné Jésus. J'ai ri, car sitôt qu'une pluie s'annonçait avec une brise en éclaireur, il reniflait le sirocco, une hérédité de sa mère née à Ghardaïa. Pour elle, le sirocco devait être beaucoup plus qu'un vent du désert, un pays tout entier, surtout depuis qu'elle s'était retrouvée avec son mari un beau matin dans un F4 avec balcon et buanderie, meubles carrés et rectangulaires en Formica bleu, comme unique horizon. Elle était décédée, l'année dernière.

– C'est le vent d'ouest, j'ai corrigé scientifiquement, en Occidental.

– Pfiii, tu n'y connais rien. Tu sens pas comme il est chaud, non ? C'est le sirocco, je te dis.

J'ai dit : « OK, c'est le sirocco. » Donc le sirocco de Jésus a commencé sa danse de guerre dans le ciel. Gris, marron, bleu, rouge, mauve, pourpre, et même vert se partageaient la nuit, tandis que les éclairs frappaient des coups de cymbales à crever les tympans.

– Tu entends les bombardiers ? j'ai dit.

Moi, je les entendais dans cette nuit de sirocco. Ils volaient à très haute altitude et s'apprêtaient à larguer de l'uranium défrisant sur tout ce qui bougeait.

Il s'est tourné vers moi.

– T'es con ou quoi ? C'est le tonnerre.

Je pensais à une obsession de ma mère. Comme notre

appartement était perché très haut dans cet immeuble gratte-ciel, il fallait s'attendre un jour à voir un pilote peu chevronné faire une fausse manœuvre, venir s'écraser au beau milieu de notre salon et lézarder notre vie si laborieusement érigée.

Jésus a sorti son paquet de Marlboro. Le souffle du sirocco sur l'immeuble suggérait quelques bouffées nicotinées. En fermant les yeux, on allait pouvoir s'envoler. Il a ensuite délicatement sorti de sa poche un briquet en métal lourd, très peu discret, et nous avons fumé en mêlant nos nuages toxiques à la pluie imminente. Quelque chose se tramait en l'air. Les animaux en avaient l'intuition, j'entendais un chien gueuler dans l'immeuble d'en face.

Surgissant des vagues, un éclair a paradé en faisant le dauphin sauteur au-dessus des monts voisins. Quelques secondes plus tard, le tonnerre a applaudi par une salve assourdissante et, juste à ce moment-là, une lampe s'est allumée. Au troisième étage de l'immeuble d'en face. Dans la chambre d'Anna. Mes yeux n'ont plus rien vu d'autre. Plus d'orage multicolore, plus de sirocco, plus de ciel, plus de Marlboro, plus de Jésus. Mes pupilles étaient collées à une seule ampoule.

– J'ai reçu une goutte, a dit Jésus. T'as senti ?

J'ai vu passer sa silhouette devant la fenêtre. Avec sa façon cassée de marcher. Je ne pouvais pas me tromper.

– Oh, t'as senti ? Qu'est-ce que je t'avais dit : c'est bien le sirocco.

Il avait bien compris que je n'étais plus dans le vent. Il a regardé dans mon sillage.

– Ah, mon cochon, tu l'as vue, c'est pour ça que tu transpires de l'œil !

Je lui avais déjà confié mes visions sur Anna. Il s'était même proposé, lui qui n'avait honte de rien, de faire le messager entre nos deux cœurs. Je n'avais pas dit non. Seul, de toute façon, je ne trouverais jamais l'audace de lui parler.

– Attends-moi un instant ! il a dit en disparaissant dans le salon.

J'ai senti les gouttes. Jésus a réapparu quelques secondes plus tard, tenant à la main des grosses jumelles.

– Je viens de les acheter. On voit bien les étoiles avec ça.

Il m'a fait un clin d'œil.

– Surtout quand elles sont à poil, j'ai pensé à haute voix.

– Tiens, prends-les. Regarde, là. Tu vas la voir comme si t'étais dans sa chambre, tu pourras t'allonger dans son lit avec tes yeux. C'est mieux que rien.

Je me suis retenu. Je n'étais pas sûr de vouloir. Habillée, Anna me paraissait plus belle que nue. J'ai dit non et je suis revenu au salon pour y voir plus clair. Il riait comme un ogre de ma pudeur et en même temps, les yeux enfouis dans ses lunettes de voyeur, il commentait les images, essayait de m'aguicher pour que j'aie moi aussi le cran de mater la vie de ma fiancée de l'ombre, à son insu.

– Oh putain, elle dégrafe son soutien-gorge !

Je scellais mes paupières plus fort pour m'empêcher de m'imaginer. Anna ne pouvait pas dégrafer sa poitrine en s'exposant ainsi aux regards indécents. J'avais envie d'arracher ces jumelles des mains de Jésus et de les offrir en pâture à l'orage.

Les gouttes de pluie, maintenant, piquaient. Les peupliers repliaient leurs branches pour donner moins de prise à leurs brûlures.

– Oh putain, là, là, viens vite voir, elle enlève sa culotte !

A son intonation, j'ai deviné qu'il ne mentait pas.

Assis sur un fauteuil, je l'écoutais défigurer Anna comme une femme anodine, une pute de vitrine en exposition à Amsterdam, et une douleur contractait ma nuque. Il braillait, excité par le tonnerre. Je me suis levé, décidé à couper court à ce vandalisme et je l'ai rejoint sur le balcon. Arrivé à sa hauteur, j'ai noté qu'il était encore accoudé à la rambarde, penché dans une position alléchante pour un tueur, l'esprit accaparé par le corps de ma fiancée. L'instant était pur pour un acte hors du commun. En même temps qu'un éclair fissurait le ciel, j'entendais les voix des millions de morts qui m'incitaient à faire le geste : Vas-y, pousse-le, pousse-le ! Je regardais Jésus avec précision, de derrière, et l'idée n'était pas si horrible que cela de le soulever par les deux jambes et le faire basculer du haut des quinze étages, avec ses Marlboro, son briquet, sa vie et ses jumelles. J'allais le faire. Juste pour essayer. Il y aurait certainement une 2 CV capotée qui accepterait de réceptionner le colis sur le parking. A quoi tient une vie ? pensais-je, en repassant des images de la zenzela.

Jésus a dû entendre ma pensée. Il a virevolté de mon côté juste à temps pour interrompre son meurtre. « Tiens, regarde toi-même. Elle est en train de sentir sa culotte. » Plus il m'en disait, plus je me recroquevillais. Il m'a présenté les jumelles, je les ai saisies, navré de ma faiblesse. J'ai d'abord regardé Anna avec mes seuls yeux. Je la voyais, dans sa chambre, c'était vrai. « Vas-y, regarde, poussait Jésus. Tu verras. » J'ai enfoui mon regard dans les tuyaux. Anna était au bout de l'acier. Nue. Je voyais les poils de son pubis. Ses seins. Elle tenait une baguette de majorette et s'exerçait à la lancer au-dessus de sa tête. Elle l'a fait tomber, et quand elle l'a ramassée, j'ai aperçu ses fesses. Juste au moment où elle s'est relevée, elle s'est retournée côté fenêtre et a jeté un coup d'œil vers les jumelles. Nos regards se sont vus. J'ai sursauté. Dans les bras, les mains, les jambes, mes forces se sont dégonflées. Fallait que je retourne sur le fauteuil d'où je n'aurais jamais dû bouger. Alors, les jumelles m'ont échappé des doigts. J'ai essayé de les rattraper par la sangle, mais trop tard, elles sont tombées dans le décor, au pied de l'immeuble. J'ai juste eu le temps d'entendre Jésus crier « Oh putain ! », avant le fracas des lunettes s'écrasant sur le parking, entre les deux files de voitures garées. En touchant terre, elles se sont désintégrées en mille morceaux, éraflant au passage des carrosseries. Déjà orphelin, célibataire, Jésus était désormais aveugle, du haut de son quinzième étage.

– Oh, me voilà non-voyant !

A présent, l'orage faisait rage, pourfendant les nuages. Une guerre de plusieurs heures était engagée. Jésus m'a proposé de nous réfugier au salon. Avant de refermer la porte, j'ai aperçu Anna près de sa fenêtre. Elle tirait les volets. A cause de moi ou de la pluie ?

– Heureusement qu'elles ne sont pas tombées sur quelqu'un, a dit Jésus.

– Pourquoi les filles sentent-elles leur culotte ?

Il a expliqué que les filles en ôtant leur culotte mettaient leur nez dedans pour vérifier si elles grandissaient normalement. J'ai fait semblant de comprendre. Je n'ai pas demandé, pour éviter de l'embarrasser, d'où il tenait cette vérité. Mine de rien, j'étais satisfait d'avoir expédié ses jumelles par cent mètres de fond. Il n'aurait plus l'occasion de mater mon Anna. Pourquoi ne se choisissait-il pas une autre femme à épier ?

☆

Je dois confesser une tentation sournoise. Je me suis dit que si j'étais vraiment prophète, je pourrais user sans abus du délit d'initié, en quelque sorte. Secrètement, je me réjouissais d'un jour où j'allais m'offrir, ni vu ni connu, une petite prémonition sur le Loto ou le tiercé. J'en connaissais une qui s'achèterait une douzaine de dents en or, plus des bracelets pour les fêtes de mariage, plus des colliers pour le tour du cou, plus des louis d'or pour fabriquer des ceintures capables de tenir des ventres ronds de plus de trente kilos, et cetera et cetera. Une petite voyance en l'honneur de Yemma qui n'avait toujours reçu comme cadeau de Noël qu'un enfant de plus, chaque année.

Vaulx-en-Velin

Le marabout Sid Ahmed habitait à Vaulx-en-Velin. Pas dans la ZUP, mais derrière, du côté du vieux village, là où se trouvent encore des indigènes qui cultivent et mangent le cardon, à l'ombre des HLM. Avec sa femme et ses enfants, il logeait dans un appartement de rez-de-chaussée, derrière une boutique d'alimentation générale dont il était également le gérant. Yemma n'était pas la seule à venir le consulter, des femmes de toute la contrée traversaient des océans pour accourir chez *l'homme qui a lu*, conjurer un mauvais sort, parler du fond de leur cœur ou retrouver un bonheur perdu.

Mon père n'a pas voulu venir. « Allez-y sans moi, je suis fatigué. De toute façon, l'affaire n'est pas grave. » Il renvoyait ce remue-ménage au registre des histoires de bonnes femmes. En tant qu'homme, il avait mieux à faire, entre *Chapeau melon et Bottes de cuir*, allongé de tout son long, sirotant un café préparé et servi par ma sœur.

Yemma s'est insurgée.

– Comment ? Farid a vu une zenzela au pays et toi tu regardes tranquillement la télévision ? Qu'est-ce qui est important pour toi, hein ? Dis-moi. Qu'est-ce qui est important ? Hein ? Allez, dis-moi. Ouallah que tu vas me dire… qu'est-ce qui est important ? Ne penses-tu pas qu'un tremblement de terre peut anéantir toutes les économies que la maison a englouties ? Hein, tu ne penses pas à ce détail ?

Quand elle décidait de le harceler comme ça, c'était pire qu'un moustique d'une nuit d'été assaillant une oreille. Elle détruisait ses résistances pan par pan, mais il se réfugiait dans un silence zen, comme s'il était au faîte des montagnes de Kabylie avec le ciel au-dessus, et autant en emporte le vent.

Ma mère prétendait que si elle allait consulter le marabout accompagnée de son mari, sa démarche prendrait plus de poids. Sid Ahmed redoublerait peut-être de concentration pour analyser son cas. Il établirait un diagnostic fiable. Son fils était-il vraiment en communication directe avec les dieux ? Quelles conséquences pouvait-il en tirer ? Quelles conséquences, pour ne pas dire quels avantages, pouvait-on anticiper pour la famille ? Les questions stratégiques ne manquaient pas. Et dire que son mari était vautré devant *Chapeau melon et Bottes de cuir* ! Il y avait de quoi regretter les guerres de libération et partager le mauvais esprit revanchard de M. Oas[1] !

– Et la maison, pourquoi tu l'as construite, s'il n'y a plus de pays pour lui servir de fondations ?

Mon père était exténué par l'abordage :

– Oh femme, je t'en prie, laisse-moi en paix. Je ne veux pas faire de « boulitique ».

J'ai accompagné seul Yemma chez Sid Ahmed, en bus. J'étais curieux de voir comment il allait accueillir un collègue. Sa femme était belle et boulotte. Elle nous a apporté le café et elle est restée discuter avec nous quelques instants. Yemma la connaissait. Toutes deux parlaient de la vie en France, la douleur au pays, l'éducation des enfants, des nouvelles d'Untel, et pendant leur conversation, je gardais les yeux rivés sur *l'homme qui a lu*. Il avait une bonne tête, bien roulée, mais c'était surtout son regard qui dégageait une atmosphère d'extralucidité. Ses pupilles postées au centre de ses orbites avaient l'assurance de deux gardes noirs à l'entrée d'un palais royal. Dedans, on devinait des trésors amoncelés, la connaissance, l'intelligence, le savoir-vivre, l'expérience, l'abracadabra et même la sorcellerie. Ce lecteur occulte avait des accès directs aux clés du monde. Seules les femmes africaines le savaient. Assis en fakir sur un

1. Afin d'inaugurer mes nouveaux talents, j'ai choisi un cobaye. Je me suis autorisé un abus de pouvoir en anticipant un accident dont allait être victime mon collègue M. Oas : deux jambes cassées et traumatisme crânien comme apéritif, on verrait pour la suite. De quoi le faire méditer sur les luttes d'indépendance des pays qui ont vocation au titre de République Socialiste Démocratique et Populaire. Le sens de l'histoire, c'est le sens de l'Histoire. On ne pouvait pas aller à rebrousse-poil. A moins d'être voyant, mais cette faculté n'était pas disponible en grande surface ; seuls quelques nantis en étaient dotés !

tapis usé qui recouvrait toute la pièce, devant une table basse et une cafetière, il égrenait entre ses doigts un collier de perles vert clair. Un devin, comme moi. A un moment donné, il a noté que je l'épiais du coin de l'œil. Bien qu'il gardât toujours les yeux sur ses perles, je savais parfaitement qu'il ne me perdait pas de vue. Il faisait le tour de ma personne, découvrait les bonnes étoiles qui accompagnaient ma vie. Elles lui parlaient de moi. Il m'a gratifié d'un beau sourire, puis aussitôt s'est reconcentré sur son chapelet en feignant d'écouter la conversation des deux femmes autour des tasses de café. Elles parlaient du trou d'El Asnam. Comme notre voisine de palier, elles ne faisaient en réalité que tourner en rond autour de la fatalité : qu'est-ce que tu veux faire ? Que pouvons-nous contre les choses de Dieu ? Allah accueille dans sa miséricorde ceux qu'il a rappelés à lui… Et d'autres expressions de résignation qui ne faisaient pas avancer d'un iota l'échange de vues.

– Un tel désastre doit nous rendre humbles par rapport aux choses futiles de la vie terrestre, a assuré la femme du marabout.

Les deux autres ont acquiescé d'un signe de la tête et des sourcils. Ma mère a porté la tasse de café à ses lèvres. Le marabout l'a imitée. Moi, j'ai repensé à Anna, bien sûr. Je me suis posé une question : Anna était-elle une chose futile dans ma vie terrestre ? Si elle l'était, que me resterait-il à aimer ? Les makroutes au miel de ma mère ? Les joueurs de football ? Les villages socialistes ? Les révolutions démocratiques, populaires et bla-bla-bla… ?

La femme du marabout s'est levée. Elle a ramassé les tasses à café. Sa fille aînée est entrée pour débarrasser la petite table ronde et basse. Comme elle ne nous avait pas encore salués, elle s'est penchée vers Yemma et l'a embrassée. Elle était jolie, malgré ses cheveux noirs, trop lisses pour être honnêtes. Elle portait une robe kabyle légère et assez décolletée pour laisser poindre l'envolée de ses petits seins. J'ai laissé traîner mon regard sur ces deux anges qui passaient par là. Elle s'est avancée vers moi et m'a tendu sa main pour me saluer à mon tour. J'étais un homme, elle ne pouvait m'embrasser. « Fais-lui la bise, a proposé son père. Il n'y a pas de honte à ça. »

Ses lèvres pourpres, croissants de lune, allaient se poser sur ma peau dans un instant. Mais elle a préféré appliquer seulement ses joues contre les miennes. Son père et ma mère manifestaient clairement une approbation mystérieuse pour ce premier contact. Je subodorais le trafic d'esclaves, mais dans ma tête, il n'était pas question de succomber à ces tractations de couloir pour des mariages endogames, j'étais en bonne voie d'exogamie. C'est une Blanche gauloise que j'aimais. Anna. Point c'est tout. Ciao a tutti. Auf wiedersehen. Salam oua rlikhoum.

– Allez, Anifa, laisse-nous, a dit le marabout à sa fille.

Elle s'est effacée. Quand elle a refermé la porte derrière elle, elle m'a lancé un dernier regard, comme Anna quand le bus l'emmenait. J'étais sûr qu'elle allait le faire. N'étais-je pas un petit bout de marabout ?

– Alors, racontez-moi, a engagé Sid Ahmed, en s'approchant de Yemma et en distribuant simultanément son attention entre elle et moi. Quel bon vent vous amène ? Ton fils voit l'invisible… c'est un garçon très sensible, je suis déjà au courant…

J'attendais qu'il examine mes prophéties. Ma mère n'était pas intimidée. Elle ne doutait pas de ses pouvoirs. Elle a raconté en détail mes visions d'avenir. Pendant ce temps, il ne cessait d'égrener son chapelet et me sourire.

– Est-ce qu'il a déjà vu des choses, avant ce tremblement de terre ?

Yemma a alors raconté l'anecdote de la marabata qui avait vu Nabil enlevé par des inconnus.

En écoutant la lecture de mon curriculum, le marabout a cligné de l'œil, sa seule réaction extérieure. Quand il a constaté que nous avions épuisé le sujet, il a levé sa tasse de café pour faire une pause, mais comme elle était vide et qu'il ne pouvait pas faire semblant de boire, il l'a reposée. « Je vois, je vois », il a dit en entamant des prières. Sa tête et sa bouche ne faisaient qu'un. Entre les deux, les yeux jouaient les intermédiaires. J'ai ressenti une petite peur subite. Ensuite, Yemma et lui se sont mis à discuter technique. Ils utilisaient des mots arabes sophistiqués pour mettre au point un plan anti-mauvais œil, une sorte de bouclier contre les agressions qui pouvaient nuire à mon épanouissement. J'ai décroché. Les demi-mots et autres allusions devenaient indéchiffrables.

Plus tard, quand la femme de Sid Ahmed nous a vus passer devant elle, prêts à prendre congé, elle a paru désolée, comme si elle avait voulu profiter davantage de notre présence, écouter en détail mes aventures, mais sa boutique lui prenait tout son temps.

– Vous partez déjà ?

Ma mère a répondu :

– Oui. Il est tard. Je dois rentrer faire à manger pour l'homme et les enfants.

Notre hôtesse a essuyé ses mains sur une espèce de tablier, avant de passer de notre côté pour nous dire au revoir.

– Restez dîner avec nous.

– Mille fois merci. Qu'Allah récompense ta générosité et loue ton hospitalité, mais nous devons rentrer.

– La prochaine fois, alors, si Dieu veut.

Elle nous a embrassés. Pour moi, elle a fait une requête :

– Qu'Allah le protège, celui-là. Il voit et il sait lire.

Les verbes *voir* et *lire*, prononcés d'une façon aussi suggestive, renvoyaient un écho qui donnait la chair de poule. Mais je me trouvais serein. Mes nouveaux pouvoirs n'allaient pas me tournebouler. D'autant que Sid Ahmed avait écrit des fragments de prose coranique sur un bout de papier pas anodin, puis l'avait cousu dans un carré de tissu vert, pas anodin non plus, et l'avait tendu à Yemma avec le mode d'emploi. Il devrait être placé à l'intérieur de mon oreiller. Ainsi, la nuit, toutes les radiations émises par mes rêves prémonitoires seraient désormais sélectionnées par ce filtre et seules les plus positives seraient invitées à passer la frontière du jour. Avec une telle épître, j'étais sous bonne garde.

Un puits de lumière attirait mon regard à la fenêtre de la famille Marabout. Anifa, du bout de son nez, tenait le rideau retroussé et nous regardait partir. Tout en m'éloignant, sentant sa présence dans mon dos, je me suis dit qu'après tout c'était peut-être la bru dont Yemma parlait dans mon enfance. Sid Ahmed a marché avec nous jusqu'à l'arrêt du 37. Sous l'Abribus, il s'est penché pour une accolade et il a offert sa main à Yemma, elle l'a saisie et elle l'a baisée respectueusement. Je n'ai pas aimé du tout. Lorsque je serais à mon tour marabout premier échelon, je mettrais fin à cette pratique humiliante. Surtout à l'arrêt des bus, en terre gauloise. De quoi avions-nous l'air, avec nos us féodaux !

Le 37 a pointé le bout de son capot au bout de l'avenue Youri-Gagarine. Sid Ahmed m'a dit :

– Si tu veux ma fille en mariage, tu n'as qu'à me le demander. On est de la même famille.

A ma grande stupéfaction, j'ai eu une érection inattendue. J'ai rougi. Je m'étais imaginé une fraction de seconde avoir un libre accès à l'onctueuse poitrine de la jeune fille. Des saveurs délicieuses ont envahi mon corps jusqu'à l'épicentre. Je me suis cambré légèrement pour dissimuler la bosse qui déformait l'endroit de ma braguette, traumatisé par l'idée que mon maître se rende compte de l'effet de sa fille sur moi. Yemma ne pouvait de toute façon rien soupçonner, elle était aux anges. Son fils, grand devineur d'avenir, marié à la fille d'un marabout de banlieue, diplômé ès sciences occultes, c'était le bonheur, assuré par la MMFM, la Mutuelle des Marabouts de France et du Maghreb (*limited inc.*). Elle riait sans ouvrir la bouche. On sentait une belle joie bouillonner, là-bas dedans !

– Y a pas de mal à ça, elle a ajouté. Quand le Tout-Puissant aura décidé de l'heure, les choses qui doivent se faire se feront.

– Inch'Allah, a renchéri Sid Ahmed, sans cesser de culbuter les boules de son chapelet les unes derrière les autres, à la manière du tirage du Loto.

La porte avant du bus s'est ouverte. Nous sommes montés. Ma mère s'est avancée vers le chauffeur et, bien engoncée dans ses vêtements made in Grand Bazar de Lyon, elle lui a demandé :

– Une blace, z'il veau pli.

Le chauffeur a tiqué. J'aurais pu demander à la place de Yemma pour éviter ce genre de malentendu, mais elle se vexait chaque fois que j'accusais son français de n'être pas accessible à toutes les oreilles et que… Elle m'interrompait vigoureusement, se plaignant de ces mauvaises volontés qui voulaient la faire passer pour une paysanne fraîchement débarquée de son douar.

Ça n'a pas manqué.

– Une quoi ? a grimacé le chauffeur.

– Une place, j'ai corrigé par-derrière.

Yemma s'est tournée vers moi, furieuse, les lèvres pincées, prêtes à mordre. Elle s'est mise à me parler en arabe.

– Combien de fois dois-je te dire que je ne veux pas que tu traduises pour moi. Je suis une adulte, non ? Et, lui, ce sale raciste, tu crois qu'il ne comprend pas ce que je dis ? Il le fait exprès, regarde la tête qu'il a, on dirait le fils du diable. Il pue le vin. Il vote Lou Pen.

Le chauffeur restait concentré sur son volant. Il avait d'autres chats à fouetter dans sa vie, que de s'immiscer dans les folies singulières de ses clients. Après tout, il n'était pas psychologue. Il nous a vendu des tickets et il a démarré. Yemma et moi avons trouvé des places assises, face à face. Elle faisait la tête, alors nous n'avons pas parlé. On voyait le marabout à travers la vitre du bus. Il rentrait chez lui, habillé pauvrement. Il a senti mon regard, s'est retourné et m'a fait un signe d'adieu. J'aurais aimé trouver le courage de me lever, ouvrir la fenêtre et lui avouer la vérité : J'aime Anna ! Dis à ta fille de ne pas m'attendre. Mais je me suis dit qu'après tout il fallait laisser faire le destin. Peut-être que.

Juste en face de nos sièges, un vieil autochtone, élégant,

avec un air Ligue des Droits de l'Homme ou ATD Quart Monde, tenait entre ses mains déployées le journal *Le Progrès de Lyon.* En première et deuxième page, les ruines d'El Asnam étalaient leurs horreurs. L'homme parcourait les photos, lisait les légendes, sans respirer. J'ai jeté un coup d'œil par-dessus sa tête et je me suis dicté un message : Tu ne peux pas rester ici, sans rien faire, c'est ton peuple, ton pays. Il faut que tu ailles secourir les fellahs qui souffrent. Je me suis retourné pour vérifier si les autres passagers du bus avaient perçu ma voix. Personne ne semblait s'inquiéter. Le chauffeur conduisait tout en faisant la conversation à une lycéenne debout à sa droite. Yemma préparait, en ruminant, un vaste plan antiraciste contre lui.

El Asnam

Un mois de juillet. La 504 nous avait emmenés depuis Lyon jusqu'à Sétif, *via* Alméria, au sud de l'Espagne, Ceuta au Maroc, puis la frontière algérienne. Des milliers de kilomètres, presque d'une traite. Mon père était décomposé par l'angoisse et la fatigue. Chaque fois qu'il détectait une lueur dans la nuit qui s'ouvrait devant nous, il intimait l'ordre à mon frère de freiner : « A frini ! », craignant un barrage de police ou quelque autre surprise incongrue de ce genre. A deux heures du matin, nous étions parvenus à El Asnam où nous avions enfin pu nous reposer. Il y avait fête au village, un mariage. Au milieu d'une petite place, monté sur une estrade, un groupe de musiciens jouait un air d'Elton John que je connaissais, *Good Bye Yellow Brick Road.* Les graves de la guitare basse martelaient la nuit à des kilomètres à la ronde. J'avais été agréablement surpris d'entendre si loin de l'Europe Elton John et je me disais qu'entre Lyon et Sétif, finalement, la portée n'était pas si grande et l'écart culturel pas si rédhibitoire entre Anna et moi.

Le temps de garer la 504, de couper le contact, des fellahs étaient venus nous souhaiter la bienvenue au pays. D'où venez-vous ? De France ? De quelle ville ? Lyon. Ah, j'ai un cousin là-bas… Tous les gens d'ici avaient un cousin là-bas. On nous avait invités à manger un plat de couscous, des morceaux de pastèque, des gâteaux faits maison, prendre un café, un thé. La fête était ouverte à tous les passagers. Cette petite place et ses habitants si hospitaliers avaient-ils été aspirés vivants par la zenzela ? Cette petite place avait été baptisée « place des Martyrs de la Révolution ». Je m'en souviens comme d'un coup de poing dans le regard.

Lyon

Yemma et moi sommes arrivés à la maison sans nous causer. Devant l'ascenseur, nous avons rencontré le facteur qui posait le courrier dans les boîtes. J'ai attendu qu'il serve la nôtre. Il m'a donné deux lettres, une de la Sécurité sociale, l'autre de Sétif. « Qui l'a envoyée ? » a aussitôt demandé Yemma. J'ai dit : « Le gardien de la Sécurité sociale. » Elle a dit : « Non, l'autre, idiot ! » C'était Akila, l'amie du grand Charles et de Jean-Jacques. J'ai ouvert la lettre. Je l'ai d'abord lue pour moi. Yemma attendait la traduction simultanée. J'ai terminé la lecture, hésité un instant, avant d'annoncer : « Il y a un morceau de la maison de Sétif qui s'est écroulé. » Elle a failli tomber à la renverse : « Quoi ? » Elle voulait me contraindre à en dire plus sur cette histoire de maison qui venait juste d'être terminée et qui s'écroulait déjà. A qui allait-on faire croire pareilles sornettes ? J'ai dit que, d'après ce qui était écrit, c'était une histoire de ciment. L'entrepreneur aurait trafiqué le produit en y ajoutant de la terre pour nous voler, et voilà le résultat. Là où des lézardes étaient apparues, suite à la secousse tellurique qui avait failli me prendre la première fois, le plafond s'était affaissé.

– Eh ben ! en a conclu ma sœur. Si les fondations sont pourries…

– Il ne faut surtout rien dire à votre père, nous a fait promettre Yemma.

Il allait s'en prendre à elle. Lui reprocher d'avoir reçu la lettre, peut-être de l'avoir attirée dans la boîte. Nous dirions qu'elle ne nous est jamais parvenue. Ni lue ni connue.

El Asnam - Lyon - El Asnam

A la télévision, sur les ruines d'El Asnam, les secouristes portaient un masque contre leur visage pour éviter les odeurs pestilentielles exhalées par les corps ensevelis. Combien de cadavres encore ? Plusieurs jours après le séisme, sous les toits des maisons crevées et des baraques écroulées, des milliers de vies s'amenuisaient. Des chiens, dont beaucoup venus avec des sapeurs-pompiers français, fourraient leur museau entre les morceaux de béton armé ou désarmé, à la recherche de survivants. On en dépêtrait quelques-uns, régulièrement. Les caméras de télévision braquaient leur objectif sur ces miracles. Tout autour, des hommes et des femmes laissaient aller leur bonheur, leur douleur. Les mains applaudissaient, portées par l'émotion.

Entre les demeures écrasées d'El Asnam, déambulaient des ombres vacillantes, des gens en lambeaux que ni les odeurs mortelles ni les risques d'éboulement n'éloignaient de leurs biens. Tout ce qu'ils avaient épargné, construit, investi dans leur vie était là, sous leurs yeux, en bouillie. Ils ne se résignaient pas, cherchaient des ouvertures dans les collines de décombres pour en extraire un matelas, un album de photos, un portefeuille, des papiers d'identité, leurs économies en liquide, des vêtements, un bracelet, une chaîne en or. Une main de Fatma. Quelques-uns avaient dégoté une brouette, une carriole, et amassaient, résolus, leur misérable solde de tout compte, avant d'aller provoquer en duel la vie un peu plus loin, dans un autre village, une autre contrée, hors de portée des failles sismiques.

Puis le choléra s'est invité dans les ruines. Yemma n'a pas eu besoin que je lui translate les mots du journaliste de la télévision, elle avait tout compris. Elle a répété : « *El koulira*. Manquait plus que ça. Miséricorde ! » Elle avait déjà fait connaissance avec l'épidémie, dans la campagne de son enfance. Elle avait vu ses ravages. A nouveau, elle a porté les mains à ses joues pour se contenir. J'étais écœuré. Je me sentais si médiocre avec mon incapacité à soulager le malheur des fellahs.

Les policiers et les militaires ont été dépêchés en masse sur les ruines, des rumeurs ayant annoncé sur le champ de désolation l'arrivée des pilleurs de tombes. L'œil aux aguets, entre deux extractions de cadavres, ils se glissaient dans la poussière à l'affût de billets de banque, de bijoux abandonnés. En signe d'avertissement, les premiers surpris par la police ont été fusillés sur le chantier. Les informations d'horreurs s'enchaînaient.

J'ai vu à la télé des milliers de tentes dressées à côté de l'ancienne ville pour abriter les rescapés. De toutes les régions, des médecins sont venus offrir leurs services aux fellahs. Quelques-uns ont parlé. Ils ont dit que la population avait besoin de tentes, de couvertures, de médicaments et de nourriture. J'ai reçu le message à mon adresse personnelle : je devais trouver ces choses dans mon quartier. C'était mieux que de rester les bras croisés, à pleurer devant le poste de télévision. J'allais organiser une collecte, solliciter les vingt-cinq mille habitants des immeubles, parler de solidarité entre les peuples de la terre. Ici habitaient beaucoup de pieds-noirs d'Algérie, du Maroc et de Tunisie. Tous avaient encore des odeurs de cumin, de jasmin, d'anisette et de kémia dans les narines de leur mémoire. Il serait aisé de faire appel à leur générosité. Bien sûr, je m'offrais en douce un excellent prétexte pour aller sonner chez Anna. La voir, lui parler.

– Farid, c'est tes amis !

Ma sœur entendait toujours la première les sonneries qui retentissaient dans l'appartement. Je suis allé accueillir Patrick et Jésus. Ils sont entrés au salon, le temps que j'enfile mes chaussures. Yemma est venue leur dire bonjour. En français. Elle le faisait chaque fois, c'était pour ses travaux dirigés. Elle a essayé de les brancher sur les images de la zenzela, trimbalant des compartiments de phrase assemblés les uns aux autres par hasard, concluant par une expression qu'elle croyait tirée de Molière ou de

La Boétie : « Ah, vriment, c'i digoulasse. C'i digoulasse. » Mes deux amis serraient les fesses pour endiguer un fou rire bien mérité. Yemma n'aurait pas du tout apprécié qu'ils mettent en doute sa maîtrise de la langue du Général. Jésus gonflait ses joues pour désamorcer un éclat entre ses mâchoires. Comment aurait-il pu se laisser aller, alors que Yemma parlait d'un tremblement de terre si meurtrier ? Pour se trouver une échappatoire, il a posé une question rituelle :

– Vous aviez de la famille, là-bas ?

J'ai dit :

– Je suis prêt. On y va. A tout à l'heure, Yemma.

Patrick regrettait que les zenzelas ne foudroient que les pays pauvres qui crèvent déjà de tant de calamités, quand l'ascenseur s'est arrêté. M. Vicenti est monté. Il a fallu lui faire de la place, car son hémiplégie était envahissante. Nous nous sommes collés contre les parois de la cabine. Quand il a parlé, il a baissé la tête pour donner plus de résonance à ses propos. Lorsqu'il a dit : *l'Algérie est en deuil*, j'ai compris qu'il s'adressait à moi. J'ignorais s'il posait une question ou faisait un diagnostic, s'il se réjouissait de ce malheur ou compatissait avec les victimes. Puis il s'est tu. Comme je ne pipais mot, il s'est retourné.

– Et Agadir ? Qui se souvient d'Agadir ? il m'a lancé.

– Quoi, Agadir ? a repris Patrick.

M. Vicenti a orienté son œil gauche vers lui, tandis que l'autre me maintenait en mire. Patrick aurait mieux fait de se taire.

– Toi, tu te té (tais). Qui c'est qui t'y a parlé ? On parle entre nous, tu nous laisses entre nous, t'i as compris ?

Il a serré sa canne comme si l'envie le brûlait d'envoyer un coup à Patrick, pour le punir de n'être point d'Oran, de Casablanca, de Sétif, ou pour une autre raison. L'ascenseur a rebondi au rez-de-chaussée. En extrayant son corps de la cabine, il a balbutié des mots hachés, un vrai charabia.

– Des morts ? Trente mille...

– Quoi, trente mille... ? j'ai demandé.

– Trente mille morts à Agadir en 1960... Et après ?

Je ne comprenais pas. J'ai laissé faire.

Des rumeurs couraient sur M. Vicenti, on l'aurait vu promener son handicap du côté des rues à putes du centre-ville, et on se gaussait de la façon dont un homme comme lui pouvait bien faire l'amour à une femme. Cette question ne me tourmentait pas. Il avait l'air d'un rescapé d'une zenzela, en manque d'amour, sans le pouvoir de le dire.

Nous nous rendions au centre social pour rencontrer la directrice au sujet de la collecte de tentes et je me sentais mal. Je pensais que j'aurais dû faire des études de médecine pour être utile au monde. La révolution agraire, la révolution industrielle, la révolution culturelle, révolution de ci, de ça, c'était du vent. Quand on avait en face de soi un fellah englué dans la boue, il fallait des connaissances pour lui sauver la vie, c'est tout. Le reste, c'était du sirocco, comme disait Jésus. Anna exceptée, bien sûr. Bientôt, grâce à la zenzela, j'allais la voir en direct. Ça, ça n'était pas du flan.

Sétif

J'ai garé la 504 devant la maison. La rue où elle se trouvait était longue, large et les trottoirs carrelés. Matins et soirs, profitant des moments de fraîcheur, des jeunes la transformaient en terrain de football. Vers midi, le soleil l'avait tellement dardée de rayons à quarante degrés qu'il devenait impossible d'y marcher pieds nus. Sur la terrasse de notre maison, les carreaux de faïence muaient en vaguelettes d'argile sec comme celles de l'oued vers Béni Mezlough. La maison foutait le camp à petit feu. Dans la rue, les riverains balançaient des pleins seaux d'eau devant leur porte pour rafraîchir et lutter contre la poussière, invitée permanente du paysage. En effet, à cause de la construction et de la réfection des canalisations d'eau, de gaz, d'électricité, des égouts, du téléphone, la rue était sans cesse percée puis rebouchée, puis repercée, puis rebouchée. La Révolution, du point de vue des fondements, n'était pas encore au point.

La rue était toujours en chantier. Après les appels à la prière du muezzin à quatre heures du matin, c'était vers huit heures que commençait la noria des vendeurs ambulants. *Tomates, batatas, autres légumes ! Tomates, batatas, autres légumes !* roucoulait un marchand qui poussait une carriole de bois échafaudée sur deux roues de camion. Un autre hurlait qu'il avait de l'eau fraîche dans une Thermos, et qu'il valait mieux la goûter avant qu'il ne soit trop tard. Puis un autre entrait en scène en vantant la qualité de ses pastèques dont il garantissait la teneur en sucre en prélevant un morceau devant les clients : *Gratuit le prélèvement, gratuit !* s'égosillait-il pour se démarquer de ses concurrents qui facturaient cette assurance anti-fadeur. Entre ces marchands nomades qui stationnaient au pied des balcons et à l'entrée des *haouchs*, se faufilaient les lambrettas, petits véhicules à trois roues d'origine italienne, pratiques pour les marchandises, mais aussi des vélos, des cyclomoteurs d'avant l'indépendance, des Peugeot 204, 304 et 404, dont beaucoup de taxis, couleur locale, noir et rouge foncé. Parfois, des chauffeurs de poids lourds faisaient rugir dans la rue leur voix autoritaire pour effaroucher les enfants qui dribblaient entre leurs essieux, ou réclamer à un paysan sur son mulet de se garer. Pendant ce temps, au balcon des maisons d'en face, les femmes époussetaient draps, tapis et édredons, lavaient à grande eau leur intérieur, profitant d'un créneau horaire matinal où l'eau courante accédait aux robinets. Auparavant, on avait entendu l'alerte générale : *Elle est arrivée, la voilà, l'eau est arrivée !* Alors, femmes et enfants se précipitaient aux sources, les mains encombrées de seaux bleus, rouges, verts, pour faire des provisions et stocker cet or liquide, car il ne coulait que quelques minutes tôt le matin, ensuite il fallait attendre son retour en fin de soirée. *Elle est arrivée !* C'était comme une secousse.

A l'aube, la rue m'éveillait. Au deuxième étage où je dormais, la salle de bains ne servait à rien, l'eau ne s'aventurait jamais si haut, à cause d'une pression insuffisante. Les robinets avaient déjà rouillé à force d'ennui. La vieille Akila m'apportait de la galette chaude et un café au lait. Je dévorais ce mets succulent, sur fond de musique *chaabi* qui s'évadait des fenêtres ouvertes des maisons mitoyennes. J'étais bien, chez nous. Je pensais souvent à Jésus et Patrick restés là-bas, dans notre immeuble sans rue vivante. Que faisaient-ils en ce moment ? Moi, j'étais content d'avoir une résidence de campagne dans un autre monde. Même si elle resterait toujours en voie de construction, c'était quand même ma cabane au Sahara.

Farid! Farid! scandait une voix depuis la rue. Akila m'a prévenu que des amis me demandaient au portail.

C'était Saïd et Brahim, ma paire de guides, l'un chômeur devant l'Éternel et l'autre fils de riche commerçant, associés dans l'oisiveté. Ils aimaient me retrouver l'été, ainsi que ma voiture. Maintes fois, nous étions sortis en ville, au crépuscule, quand la chaleur insupportable de la journée s'était apaisée. Dès que la brise fraîche des hauts plateaux, le *bahri*, massait en douceur l'air du temps, je sortais la 504 et je les conviais à une balade. Nous descendions et remontions la grande rue de Constantine, depuis le quartier d'Aïn Tebinet jusqu'à la fontaine d'Aïn Faouara, dans l'art de la discrétion : Elton John à fond les watts, vitres baissées et coudes dehors. J'étais pétrifié de honte. Le pire survenait lorsque Brahim et Saïd repéraient ce qu'ils appelaient une grisette, une fille pas farouche, et qu'ils se mettaient à l'haranguer, pendant que je devais maintenir le cap avec mon volant et suivre la dame voilée au rythme de ses pas. Et les deux compères lui servaient sans vergogne des : « On t'emmène ? On t'emmène ? Mais tu vois pas qu'on a la voiture ? » Et moi, j'étais mal dans mes babouches de constater que la 504 de mon frère n'était plus vraiment ni à mon frère ni à moi, mais était devenue propriété collective, *char à grisettes* comme dirait un Québécois. Une question me taraudait l'esprit : comment une fille, fût-elle grisette, pouvait-elle accepter de monter avec des inconnus dans des conditions aussi lamentables ? La brutalité de cet abordage me laissait perplexe, mais mes deux amis de la rue m'assuraient qu'une 504 avait ici des qualités érotiques que les immigrés ne soupçonnaient pas.

Bien sûr, aucune grisette n'est jamais montée avec nous, Dieu merci, mais j'avais vite fait de mettre les choses au clair avec mes deux chaperons locaux. Ce genre de traque était contraire à ma sensibilité et ne seyait pas à la philosophie que je me faisais des rapports hommes-femmes. Brahim avait alors supposé en riant : « T'es pédé ? » et s'était excusé illico en voyant un début d'incendie dans mes yeux. Le plus cocasse était que ces chasseurs de prostituées ambulantes flairaient parmi des dizaines de filles recouvertes de voile blanc, des orteils jusqu'au bout du nez, cheveux compris, celles qui avaient les mœurs transversales. Était-ce à leur démarche ? A leurs chaussures ? A leur morphologie ? A leurs yeux soulignés au khôl ? Il y avait des indices que seuls les non-expatriés au pays des Francs pouvaient détecter. Peut-être des émanations. Quand je demandais à mes deux chasseurs des explications, ils répondaient : « Ça se voit », c'est tout. Et moi je ne voyais rien du tout.

J'ai fait le chauffeur à grisettes deux fois seulement. Ensuite, j'ai laissé la voiture au garage. Mes deux amis n'ont plus été mes amis pendant quelques jours.

Jusqu'à ce matin où, dégustant paisiblement mon petit déjeuner sur la terrasse incandescente, j'ai entendu la voix de Brahim qui m'appelait, émergeant nettement entre celles des vendeurs à la criée de tomates, poivrons, batatas, figues de barbarie, eau fraîche avec Thermos importée de France, etc. Je me suis levé d'un bond, trop heureux de constater que mes amis d'ici m'aimaient aussi un peu, même quand je n'avais pas de 504 à leur disposition. Je suis descendu à la hâte. Akila m'a dit : « Attention, c'est pas des Jean-Jacques Rousseau, ces deux zigotos ! » J'ai ralenti un peu et je suis reparti. Devant la porte, j'ai tendu la main à Brahim et je me suis même lancé dans ses bras pour le remercier d'être là. Dans son élan, il m'a pris par les épaules comme si j'étais sa fiancée. Saïd attendait un peu plus loin. C'étaient d'heureuses retrouvailles. Nous sommes allés errer dans la ville, boire un café-lait-sucre chez Mouloud. Brahim ne me lâchait pas la taille et je craignais de le blesser en lui faisant remarquer mon inconfort. Il avait en tête une surprise pour moi. Dès que je l'ai vu, j'avais senti sur son visage un signe d'exaltation, mais d'abord, lui et Saïd ont parlé de tout et de rien, jetant des coups d'œil à rayon laser sur des filles que nous croisions en chemin. J'étais soulagé d'arriver à la terrasse du café, car c'est là qu'enfin Brahim a bien voulu libérer ma main et ma taille qu'il tenait depuis exactement vingt minutes. Drôle d'habitude qu'avaient les cousins du bled de faire du corps à corps intempestif chaque fois qu'ils se rencontraient dans la rue ! Du collé-serré beaucoup plus moite que celui de Pointe-à-Pitre ou Fort-de-France. Et vas-y que je t'embrasse quatre fois, huit fois, que je te tiens la main et les épaules pendant une demi-heure, soudés par la transpiration, que je passe mon bras autour de ta taille et que je marche avec toi. Ici, les couples d'hommes enlacés déambulant sur les trottoirs ne choquaient personne. Mais gare au couple de *Chapeau melon et Bottes de cuir* qui osaient se faire des mamours sur les bancs publics ! La foule n'appréciait pas les attouchements hétérosexuels.

Nous avons commandé à boire. Juste après avoir reçu son café-lait rempli à moitié de sucre, quand le serveur est parti, Brahim m'a regardé discrètement : « Ça t'intéresse d'aller au bourdil ? » J'ai avalé ma salive, piquée de poussière. Je n'ai pas eu à réfléchir. Aller au bordel ? L'idée me séduisait d'instinct. Pis, elle déclenchait une euphorie dans mon inconscient, qui n'était pas si inconscient que ça. Des gouttes de sueur glissaient sur mon front. Mon corps avait voté oui.

Saïd fumait une cigarette locale, roulée dans du foin, et se marrait en douce.

– Je connais une gazelle, là-bas. Je suis amoureux d'elle, il a dit. Je ne vais voir qu'elle, toujours. Si tu viens, tu la verras.

– On ira à midi, a suggéré Brahim. C'est là qu'il y a le moins de monde et le moins de risque de rencontrer des gens qu'on connaît.

J'ai pensé à mon père qui était resté à Lyon, une aubaine. Et ma mère ? Si elle me surprenait en train de caresser, téter les seins d'une autre femme, dans un bordel ? J'ai pensé à Anna. Restait-elle chez elle pendant l'été ? Et si elle apprenait que je me frottais avec les grisettes de Sétif ? Brahim et Saïd voyaient bien que j'étais secoué par la proposition. Ils ont essayé de me rassurer en réduisant les filles des maisons closes à des kilos de viande en vrac. Brahim a certifié :

– C'est de la marchandise. Tu regardes, tu choisis, tu payes et c'est fini. Tu n'as pas à avoir honte.

A Salzbourg, en Autriche, sur les portes des maisons de tolérance signalées par des lampions rouges, on m'avait dit que c'était écrit *Mädchen mit Hertz*. Ce qui signifiait qu'ici les filles avaient du cœur à offrir, en plus de leurs atouts sexuels. Je m'étais étonné en me disant : tiens, si le cabaretier a tenu à cette précision, cela voulait dire qu'il y avait des filles sans cœur, aussi, dans d'autres maisons. C'est comment, une fille sans cœur ? Moins cher, puisqu'il n'y a pas d'abats ?

Saïd continuait à se marrer. J'avais l'impression qu'il attendait le moment où j'allais me désister. J'essayais de faire le crâneur, mais je peinais sur la côte. J'allais quand même vivre une expérience tellurique !

Désormais, mon esprit n'était plus accaparé que par l'expédition. Chaque fois qu'une question surgissait dans ma tête, j'essayais de l'expédier sans examen dans une cellule de destruction immédiate, mais l'image d'Anna me faisait du mal. J'avais honte de moi. D'un côté, je me disais : une pute, c'est une pute, tu vas te souiller et ensuite tu vas infecter ta belle. Mais, d'un autre côté, je me contredisais : c'était bien d'aller au bordel, apprendre à faire l'amour doucement, respirer profondément, retenir l'énergie, l'expulser au moment propice, penser d'abord à sa partenaire, penser d'abord à Anna. Tout ce que j'allais apprendre ici allait un jour lui servir là-bas. Elle ne le regretterait pas.

– On y va avec ta voiture ? a demandé Saïd qui testait en même temps une suggestion déguisée.

J'ai dit que je préférais y aller en taxi. L'affaire était close.

La chaleur cuisait la terrasse blanche du café. J'ai proposé de faire escale au hammam. L'idée d'un bain avait une saveur de purification avant la souillure. Brahim devait retourner au magasin de son père, Saïd est venu avec moi. A l'intérieur de la maison de vapeur, après avoir transpiré comme une serpillière pendant une demi-heure, un masseur m'a proposé ses services d'extracteur de spaghettis : il m'a allongé sur le ventre et il a commencé à pétrir ma peau tout en moulant un rouleau de crasse qu'il balançait dans un caniveau adjacent, après avoir claqué sa main à plat sur mon dos. Ensuite, il m'a étiré les membres jusqu'à les désarticuler, je l'ai rabroué : « Halte-là, ça suffit ! T'es masseur ou écarteleur ? » Il a été surpris, a eu un rictus en me voyant grimacer, ramasser les morceaux de moi-même qu'il avait éparpillés et m'enfuir loin de lui, les jambes à mon cou. Après une vingtaine de minutes de ce supplice, j'étais lessivé. J'ai rejoint Saïd qui somnolait sur un matelas à même le sol. Je me suis allongé sur le matelas d'à côté, et me suis endormi.

Le soleil de midi gouvernait en pacha dans la ville livrée à ses archers. Il n'y avait plus guère de monde dans les rues, quelques vendeurs ambulants qui comptaient leur chiffre d'affaires, des mendiants qui gravitaient autour des poubelles, des enfants joueurs. L'odeur de gasoil avait remplacé les bruits. La poussière blanche était retombée sur le bitume mou pour une pause de quelques heures. A Sétif, l'été, de midi à cinq heures, la chaleur du Sahara faisait allonger tout le monde, grands et petits, jeunes et vieux, pour une sieste obligatoire. Et même les grisettes des bordels, mais c'était leur métier.

Brahim, Saïd et moi avons marché, rasant les murs, en direction du quartier obscur. Un sentiment de peur, d'infamie et de bonheur bouleversait sans arrêt mon rythme cardiaque. Plus nous approchions de l'endroit crucial, plus les passants que nous rencontrions, les clameurs, les senteurs se raréfiaient. Nous avancions vers un lieu marqué par d'étranges contradictions, que tout le monde connaissait, mais dont personne ne parlait jamais. Un lieu que tout le monde voyait, mais que personne ne regardait jamais. Un lieu interdit, où tout le monde était déjà allé une fois. Un lieu rejeté par la société, qui l'autorisait. Un lieu périphérique, situé en plein cœur de la ville. Un lieu que rien ne devait signaler, mais devant lequel trônait une vieille dame sur les marches d'escalier, jambes ouvertes, qui, à en croire son visage tordu par les rides et son art de tenir sa cigarette façon cow-boy texan, avait dû en voir, du pays.

Nous avons débouché sur une place qui semblait avoir été construite autour de quelques arbres à l'allure torve, avec des gueules de platanes greffées sur des carcasses de chênes, et dont les branches subissaient à l'instar de tout le pays la pollution d'une épaisse peau de poussière. Alentour, des maisons ottomanes aux façades secrètes espionnaient les passagers des lieux. Elles avaient le même caractère que les harems que j'avais imaginés dans *Les Mille et Une Nuits*, avec, à leurs fenêtres, des grilles de discrétion qui permettaient aux femmes de suivre les faux flâneurs dans la rue, sans être vues. Leurs murs avaient été mangés par la crasse des pollutions. Sur l'un d'eux, une main de propriétaire avait badigeonné à la peinture blanche : INTERDIT D'URINER SUR CE MUR ! Cet appel à la citoyenneté basique m'a un peu décontracté.

Plusieurs accès s'offraient au regard. Devant chacun, une vieille femme, vêtue de plusieurs couches de tissus-tapisseries, veillait, immobile, sur le lieu abstrait.

– On va entrer dans celui-là, a déclaré Saïd. C'est là que je vais toujours.

Il pouvait bien m'emmener où bon lui semblait, j'avançais, aveugle, l'esprit pincé de remords. Quel sacrilège commettais-je ? Je craignais que cette folie me coûte cher. Je n'allais pas ressortir de ce palais comme j'y serais entré, c'était certain. Mais, diable, mon sexe était dur comme du silex. Il voulait en découdre, se préparait à l'affrontement, faisait des pompes sous mon pantalon pour un échauffement de dernière minute.

Brahim ne pavoisait pas non plus, il avait perdu de sa ferveur. Ses yeux de bonne famille faisaient le périscope dans les coins de rue pour prévenir une rencontre inopportune. Nous nous sommes avancés vers une vieille, assise sur le perron de son Eros Center, la clope au bec. Elle ne nous a pas accordé la moindre considération. Mais, à l'évidence, elle nous tenait en joue, même qu'elle nous déshabillait déjà, semblait remplir un formulaire d'inscription. Quel âge ont-ils, ces morpions ? De quelle lignée sociale sont-ils ? Des habitués ? Pas des bidasses, en tout cas... Saïd l'a saluée en lui posant une question de vieux brisquard :

– Y a un arrivage de nouvelles ?

Elle a déplié un bras. Avait pas l'air commode, la mémé. Un regard de meurtrière, même, filant au-dessus d'un nez taillé comme un poignard de Sarrasin. Elle n'avait pas du tout envie de s'en laisser compter.

– Allez, allez, arrête ton baratin. Envoie-moi le fric et entrez vous faire foutre dedans.

Elle a tendu une main décharnée pour recevoir son dû, et avant que Saïd ait eu le temps de discuter le prix comme il s'y préparait, Brahim avait payé le péage pour tous les trois. Il faisait toujours cela. La mémé a concentré ce qu'il lui restait de vision sur sa paume pour faire la comptabilité, puis elle a lâché un grognement de béatitude avant de mettre en branle son corps retroussé en accordéon et libérer le passage.

– Quel âge il a, le cheb ? elle s'est enquise juste au moment où je l'enjambais.

J'en étais sûr. Elle allait m'interdire l'entrée. J'ai dégluti. Je concoctais déjà une défense quand Saïd a trouvé un mot de passe :

– C'est un homme.

La mémé a grommelé de plus belle, insatisfaite, mais Brahim avait été généreux, elle ne pouvait plus reculer.

– Moi, je m'en fous, a-t-elle concédé. Mais je vous préviens, y a la police militaire qui passe régulièrement pour chercher les déserteurs et ils ne sont pas aussi cléments que moi.

Sur quoi, elle a balancé sa main dans son dos pour nous dire de disparaître dans son passé. Mon sexe avait ramolli, effet direct de la frayeur, mais nous étions enfin entrés : à nous les parfums élégants de ces belles dames. Mon entrain renaissait.

Brahim avait néanmoins un doute à mon propos.

– T'es en règle avec l'armée ?

J'étais sursitaire depuis de nombreuses années, repoussant l'échéance de mon service dû à la République Socialiste Démocratique et Populaire pour des raisons d'études inachevées. J'avais une carte officielle, mais je l'avais laissée à la maison, par sécurité. Et puis, l'heure n'était pas aux formalités administratives. J'ai dit que j'étais objecteur de conscience, pour faire rire mes amis. Effet réussi. Cette appellation n'avait pas de sens dans le dictionnaire local.

Ça sentait la Javel et le poivron grillé, dedans. A la sortie d'un couloir sombre, nous avons abouti sur une cour imposante, autour de laquelle étaient aménagés des appartements autonomes. Ça reniflait l'amour à plein nez. C'est là qu'œuvraient les femmes. Mon attention a immédiatement été attirée par l'une d'elles, préretraitée, qui, courbée à quatre-vingt-dix degrés, essorait un linge dans une bassine d'eau, sa longue tunique transparente repliée et coincée entre ses jambes à la pliure de son gagne-pain. Elle ne portait pas de culotte. Le panorama m'effarouchait déjà. L'impudeur était à son comble, au palais des plaisirs. Une autre, en combinaison de nuit, épluchait des poivrons pour son déjeuner, confortablement amarrée au seuil de sa hutte, une cigarette fumante au bord d'un cendrier. Je n'en croyais pas mes yeux. Ces dames vaquaient à leurs banales occupations quotidiennes et, grouillant comme des renards prudents, des hommes s'aventuraient dans leur rayon pour les humer, les soupeser. On se serait cru dans un aquarium ou un élevage de truites, avec un gardien qui allait passer dans les rangs, l'épuisette à la main, et dire : Laquelle je vous mets ?

Brisant le silence nocif aux affaires, une fille s'est levée et s'est insurgée contre ces faux clients venus se rincer l'œil pour pas un dinar. Elle s'est avancée vers un type apparemment tout juste descendu de ses alpages :

– Alors, que fais-tu là, fellah ? Tu viens me baiser, avant que j'aille béqueter et me pieuter, après ce sera trop tard. Tu veux peut-être savoir si je fais les fellah-sions ? Mais oui, mon vicieux, je fais tout, va chercher un jeton à la caisse... tu m'excites trop.

Les clients exultaient. Des envolées comme celle-là détendaient l'atmosphère au quart de tour. Effectivement, deux ou trois d'entre eux, mis en confiance, sont allés acheter des tickets d'amour. Au bar, un essaim de jeunes en uniforme, militaires en goguette, sirotait un café en surveillant du coin de l'œil une hutte à la porte close, rideaux tirés et lumières tamisées. Peut-être une déesse convoitée pour sa fraîcheur. Russe? Allemande? De folles rumeurs signalaient dans telle maison la présence de filles des Républiques Socialistes Démocratiques et Populaires des pays de l'Est, amies du Tiers Monde. Des beautés d'importation, à l'épiderme soyeux comme les neiges de la toundra, à la blondeur ravageuse. En réalité, ce n'étaient que de simples filles des villes voisines, décolorées jusqu'à l'os, qui avaient trouvé l'interrupteur à fantasmes des gens d'ici et s'en barbouillaient sans retenue pour doper le marché. Je n'étais pas le dernier à être sensible à ces rumeurs d'Orléansville. La fantaisie suscitée par ces filles transformait les oueds craquelant de sécheresse en ruisseaux parfumés.

Comme un rat, Saïd s'est éclipsé en direction de l'appartement de son amie grisette. Je voulais le retenir, lui dire de rester avec moi, de guider mes premiers pas dans cet antre inquiétant, mais je m'en suis gardé. Pour retrouver un peu de souffle, Brahim m'a suggéré d'aller au bar prendre un réconfortant. J'ai commandé un Pepsi. Autour de moi, des bidasses mal rasés et malodorants, l'air aussi fauchés les uns que les autres, guettaient toujours en perspective le sein, la fesse ou le poil de pubis.

– Laquelle tu as choisie?

La question de Brahim indiquait l'heure, en fait. En effet, le temps pressait et je n'avais pas encore élu la belle qui aurait l'honneur de m'ouvrir son corps. Lui, si. Il en avait déjà repéré une qui venait juste d'entrer dans sa maison avec un militaire. Dès qu'il aurait fini, il prendrait sa place. L'idée me donnait une envie folle de sniffer un peu de poudre d'escampette, histoire de ne plus être vraiment présent. J'imaginais Brahim enfiler sa sensibilité dans un lieu commun, maculé de traces de passage de dizaines de touristes, soucieux d'inscrire sur les parois le témoignage de leur jouissance, et des pierres me tombaient sur l'estomac. J'ai bu une grande gorgée de Pepsi pour faire passer la pilule. J'ai visé la grisette aux poivrons. Elle était toujours là. Pas terrible, mais pas mal quand même. Je voulais consulter Brahim sur la façon de se présenter aux donzelles, sur les codes et coutumes, une fois dedans. J'étais mal à l'aise avec mon accent de France. Elle allait sur-le-champ faire le rapport avec le pays colonisateur. Quelles réactions aurait-elle ? Quand j'ai vu Brahim finir d'un trait sa petite bouteille, le regard vissé sur une porte qui venait de libérer un soldat repu, j'ai eu un accès de solitude. J'ai failli le supplier de m'accompagner chez une fille, me présenter, requérir l'indulgence pour moi, pauvre descendant d'exilé, sans repères, mais il me restait encore assez de lucidité pour ne pas bouger quand il s'est élancé. Je me retrouvais seul, au bar, avec des bidasses aux yeux balayeurs, tenant du bout des doigts des cafés froids, quand une voix incisive a claqué à l'entrée du bordel comme une rafale de kalachnikov.

– Bonjour l'assemblée, merci de ne pas bouger !

Une patrouille de la police militaire en chair, en os et en armes venait d'investir le lieu interdit. C'était la hantise du peuple, ces robots capables de n'importe quel malheur sur la chaussée, au mépris de l'ONU et d'Amnesty International, dotés des pleins pouvoirs par la Révolution populaire, notamment ceux de vous rouer de coups de matraque au moindre regard de travers. Quand ils sont entrés, les bidasses ont baissé les yeux en signe de soumission à l'autorité. Ils étaient six, survolant les passagers du bordel comme la Patrouille de France, en rang serré, parfaitement ordonné, avec un commandant qui conduisait le mouvement. J'avais déjà vu dans le ciel des nuées d'étourneaux en transhumance qui, en un éclair, changeaient de cap, ensemble, dans une synchronisation éblouissante. Les six de la PM étaient de cette espèce volatile. Sortis d'un film américain sur la guerre du Viêt-nam. On ne percevait pas réellement dans leur apparence une profonde connivence avec la philosophie aristotélicienne ou la vision rimbaldienne du monde. Une moitié de l'énergie qu'ils contenaient était condensée sur la matraque pendue à la ceinture, côté droit, et l'autre était cristallisée dans leurs rangers, prête à faire le ménage. En voyant cette *apocalypse now*, je ne me suis pas dispersé. J'ai fait le point : j'étais mal barré, les types allaient me demander ce que je faisais là, dans ce lieu indigne, si mon papa et ma maman étaient au courant de mon escapade et, surtout, si ma situation vis-à-vis du service national était en règle. Aussi sec, j'ai virevolté côté bar pour ne pas affronter le malheur de face. J'ai réfléchi une seconde. La meilleure tactique consistait à foncer aussi vite que possible dans les jupons d'une grisette et faire l'autruche. J'ai imité la dégaine décontractée d'un type sans rien sur la conscience, enfoui mes mains dans les poches et marché comme sur les quais de la Seine, jusqu'à la grisette aux poivrons, sifflotant en bon baudelairien dans le vent mauvais. Une fois parvenu au delta de ses jambes écartées en angle droit, je me suis retrouvé penaud, ne sachant pas comment présenter l'objet de ma visite. Je me suis planté face à elle. J'ai attendu. Alors, pour suivre les conseils de Brahim, je me suis imaginé devant un étal de viande fraîche et j'ai feint d'évaluer la marchandise : la Mädchen était-elle à louer avec ou sans cœur ? Elle, elle ne faisait pas semblant d'éplucher ses poivrons. Elle m'a lancé un regard coupant, entre deux coups de couteau sur le légume couleur sanguine.

– Qu'est-ce que tu veux ?

Elle m'a demandé ce que je voulais, l'hypocrite ! J'ai rougi, pire que son poivron. Comment « qu'est-ce que je voulais » ? N'était-ce pas assez clair ? Croyait-elle que j'allais lui demander la direction pour aller à Ghardaïa dans le M'Zab ? Dans le Hoggar ou le Tassili ? Elle me prenait pour un touriste. Je l'étais un peu, il est vrai. J'étais incapable de prononcer le moindre mot. Je ne me sentais pas de dire : Je veux faire l'amour. Je ne savais même pas comment traduire « faire l'amour » en arabe. *Fucky ? Fucky ?* Vu de l'intérieur, je sentais bien qu'à l'extérieur j'avais un air pitoyable. Elle s'est remise à triturer son légume, tandis que les claquements de rangers des *Chevaliers du ciel* s'amplifiaient dans mon dos. Il fallait que je mette les gaz.

J'ai lâché à la dame :

– Je veux aller avec toi.

Une belle trouvaille linguistique, ma foi.

Elle a daigné me considérer humainement.

– Où ça ?

J'allais défaillir cette fois, mais comme elle s'essuyait les mains en même temps, j'ai réalisé qu'elle s'apprêtait à mettre fin à mon calvaire et me soustraire aux chasseurs de déserteurs qui gigotaient sur mes arrières. Elle a posé les poivrons dans une bassine à ses pieds, s'est levée, avec un air malin dans les yeux.

– T'as pris un jeton à la caisse ?

– Oui.

Je le lui ai donné, comme sur un manège de la fête foraine de Lyon.

– Et à boire ? Tu as pris à boire ?

– Non.

– Et alors ? Tu crois que je vais accepter de mourir de soif ? Tu vas tellement me faire jouir que je vais me liquéfier. Allez, allez, mon fils, va chercher des boissons au bar.

Cette image de liquéfaction, d'un coup, a relancé ma position phallique. La dame plaisantait sans doute, ou bien flattait-elle tous les clients avec autant de subtilité ? Toujours est-il que je suis allé au bar chercher deux Pepsi. Ça faisait trois francs, j'ai donné cent francs puis, tellement j'avais envie de m'enfermer dans la chambre, j'ai légué la monnaie en me sauvant comme si mes digues allaient s'effondrer. La barwoman n'a pas demandé son reste. Ni proposé, du reste.

J'ai suivi la dame aux poivrons dans son antre. Il y avait sans doute des meubles et autres objets de décoration à l'intérieur, mais je n'ai vu que deux choses, le lit et le bidet. Il faisait sombre et frais. Elle s'est déshabillée. Elle a glissé sa longue robe bleue par-dessus sa tête et sa nudité a éclaté, une gerbe d'étoiles. Sa peau était rose, pas comme celle des Moscovites, mais pas loin, juste assez pour éclairer son coin noir et touffu : l'entrée de la caverne obscure à laquelle je ne pouvais plus échapper. Une sensation de chaleur se dégageait de ces broussailles que j'allais déblayer avec délicatesse dans un instant. Un seul inconvénient éraflait ma volupté. Cette dame me faisait trop penser à une mère de famille. Ne m'avait-elle pas appelé « mon fils » ? Je me suis mis à ruminer des âneries : ce pauvre être humain doit être une maman, ses enfants doivent attendre son retour dans leur nid. Et son père, où était-il ? Savait-il le métier que sa fille pratiquait ? Était-il encore vivant ? Et sa mère ? Était-elle aussi vivante ? Savait-elle qu'elle avait donné naissance à une pute ? Et toi, Farid ! Es-tu conscient de déshonorer cette mère de famille ? Tu as pris un jeton pour entrer dans son sexe, tu as toi-même pensé à la fête foraine de Lyon, c'est la honte, mon frère. Il est temps d'abréger cet acte misérable. Va, excuse-toi, rentre chez toi. J'ai eu un raz de marée sur le front. Des gouttes d'émotion salées, à force de presser trop de questions. Elle, sortie de ses poivrons, elle se tenait maintenant assise sur le rebord de son lit et dégustait son Pepsi en m'attendant, peut-être. Je me suis dévêtu, presque sans m'en rendre compte. Mes mains faisaient le travail d'elles-mêmes.

– Immigré ?

J'ai dit oui.

– De Barisse ?

– De Lyon.

– Moi, j'aime Barisse. Je connais quelqu'un qui y est déjà allé. Tu connais, toi ?

– Non. J'ai vu la tour Eiffel à la télévision.

– Chanzilisi...

– Heu...

– Barbisse... Tati... Christian Diour...

Elle délirait à cause du trop fort dosage de Pepsi. Vu mes maigres connaissances du Paris de l'immigration, je ne pouvais pas surenchérir sur les lieux bénis qui formaient le POS[1] de son imagination. Mes yeux étaient plantés entre ses cuisses. C'était la capitale où il fallait que j'aille, mon Arc de triomphe. Je me disais : un jour faudra bien que je voie Anna de ce coin de vue et il faudra

1. Plan d'occupation des sols.

éviter d'être novice pour gagner du temps sur le bonheur. Tout ce que cette grisette allait m'enseigner profiterait à ma belle.

– Moi, je m'appelle Katia, et toi ?

Je préférais rester dans l'anonymat.

– Nabil.

J'ai dit le prénom de mon frère, comme ça, en cas d'ennuis, c'est lui qui serait poursuivi par la police des bonnes mœurs.

– Qu'est-ce que tu préfères, Nabil, qu'on baise sur le lit ou sur le matelas par terre ?

Sa grossièreté m'indisposait. J'avais envie de lui dire : vous savez, madame, avec moi vous pouvez parler normalement, dire « on va faire l'amour », c'est plus romantique. Romantique ? Dans un bordel, débordant de bidasses au bar et une patrouille de la police militaire qui détecte les odeurs de transpiration émises par les déserteurs ! Tu parles d'un romantisme ! Voilà ce qu'elle allait hurler. Elle attendait une réponse. Avec mon air de Gary Cooper dans la coupe de cheveux, j'ai désigné la terre. Elle a dit : « C'est toi t'i payes, c'est toi t'i choises ! » Elle a posé la bouteille, s'est allongée toute à moi : soixante-dix kilos bien pesés. J'ai transporté son image dans une chambre du troisième étage d'un immeuble en face du mien, sur une femme blonde, belle, droite et fine, au regard froid. La chaleur de mon corps a grimpé à la frontière des quarante sans calculer les risques de débordement précoce. Le compte à rebours n'avait pas commencé que le premier étage de la fusée montait déjà dans la cheminée. J'ai serré les fesses. J'ai dégluti pour colmater les vannes et renforcer les digues. Pour qui allait-elle me prendre, la dame, si j'avais fini avant d'avoir commencé, si je m'écroulais comme un château de paille même pas inauguré ?

– Annaaa.

Elle a dit : – Quoi ?

J'ai dit : – Je viens.

J'étais nu.

– La prochaine fois que tu viens me voir, mon t'cher Nabil, tu m'apporteras un parfum de Barisse ?

Dans ma tête, j'ai promis que tous les parfums que j'allais acheter dans ma vie seraient destinés à Anna. Fallait pas que cette grisette se fasse d'illusions. Pas plus que mon collègue marabout de Vaulx-en-Velin à propos de sa fille aux petits seins. J'ai dit : « Je t'en apporterai un de chez Christian Diour. » C'était juste pour qu'elle me comble de satisfaction sur le moment, qu'elle me révèle les entrées secrètes de la vie d'une femme, afin que je puisse exercer mes talents d'expert en terre gauloise. Je me suis répandu sur elle, pivotant sur son ventre grassouillet et chaud. Nos visages étaient presque collés l'un à l'autre, quand on a frappé à la porte de ma tête, j'ai ouvert, c'était une question. Diable, elles ne me lâcheraient donc jamais ! Puis je suis retombé dans le piège à remords, j'ai recommencé mon examen de conscience. Trop tard, déjà des râles sortaient de ma bouche. J'ai penché ma tête de côté pour ne pas irriter le nez de Katia et j'ai laissé décoller la fusée. Dès que j'ai été au contact de la chaleur irradiante de son triangle broussailleux, je me suis retrouvé à califourchon sur le bonheur, j'ai crié : « Yeaahh ! » Comme à l'arrêt du bus. J'ai senti les doigts de Katia qui accompagnaient ma chute, une vraie mère protectrice :

– Vas-y, mon p'tit, je te tiens, tu peux lâcher.

C'était gentil de sa part. Trente secondes plus tard, après l'extase, le bonheur avait atterri, éphémère, le temps d'une ou deux zenzelas, pas plus, l'heure était déjà venue de plier la tente, faire les bagages, payer la facture et prendre la porte. Ah, le rendement ! J'aurais tant aimé laisser ma tête vagabonder sur son épaule comme sur une fin d'été nostalgique, mais dommage, elle n'avait pas le loisir de flâner. Elle m'a repoussé, s'est relevée et a filé droit sur le bidet, s'est assise dessus comme sur une selle de cheval. Je ne voulais pas voir ça. J'ai regardé quand même. Elle a baissé la tête sur son delta obscur, a passé une crème pour huiler l'entrée de son autoroute à péage, puis s'est savonnée énergiquement avant de s'asperger à grands coups de jet d'eau. J'étais triste. Elle n'avait qu'une hâte : effacer le souvenir de mon passage sur son corps. J'aurais préféré qu'elle le conserve intact. J'entendais aussi un drôle de remue-ménage émaner de ses entrailles, des flaques d'eau coincées au fond d'un puits qui faisaient des vagues. Puis elle m'a appelé : « Viens. » Inquiet, je me suis levé, refroidi, nu, sans défense. J'ai voulu m'habiller.

– Viens comme ça, tu as honte ?

Ça collait de partout, c'est cela qui me gênait, mais je me suis approché d'elle, quand même. Elle m'a enserré le sexe comme si c'était une de ces milliers de merguez qu'elle avait vues défiler sur sa paillasse, elle a passé une serviette dessus, ça m'a fait un peu mal mais j'ai tu ma douleur.

– Tu t'appelles pas Nabil.

Je me suis protégé en retournant l'attaque :

– Tu t'appelles pas Katia.

– Non. Mais moi je suis une grisette, je dois me protéger. Si on me reconnaît dans la rue, on va me faire du mal.

Moi, je n'avais pas de raison de cacher mon identité.

– Je m'appelle Farid.

Elle a quitté son bidet. Elle a enfilé une culotte, non sans regarder si, au fond, elle était digne d'être portée. J'ai pensé à Jésus et à ses jumelles contre Anna. J'étais amer. Elle a remis sa robe. Redevenue une femme banale, une mère, une passante, elle a murmuré en souriant :

– Alors, je baise bien, non ?

Quelle question ! J'ai juré que c'était super, pour lui faire plaisir. Que j'en référerais dans les termes les plus élogieux à M. Christian Diour, la prochaine fois que je le verrais sur la tour Eiffel.

Elle m'a dit :

– Je m'appelle Luisa.

Elle pouvait bien s'appeler comme elle voulait.

– Tu retournes quand, à Barisse ?

– J'habite à Lyon.

– La prochaine fois que tu viens me voir, tu m'apportes un parfum de Christian Diour, c'est vrai ?

J'ai promis. Elle m'a accompagné jusqu'à la porte de la maison, a posé une main sur la poignée, a ouvert l'autre :

– Tu veux me donner un petit pourboire ?

Je ne comprenais pas. J'ai demandé des explications avec un signe de la tête.

– Donne-moi de l'argent. Les immigrés sont riches, non ? Vous avez tous une maison là-bas, une maison ici.

C'était un pieu dans mon cœur. J'avais tout à coup une pute en face de moi, une méchante dame qui ne pensait qu'à ça, faire payer le fellah. Dire que j'avais cru qu'elle m'aimait un peu. Qu'elle m'avait un peu aimé, surtout quand elle m'avait serré pendant l'irruption. Elle voulait un pourboire ! Comme si deux Pepsi ne lui avaient pas suffi pour boire jusqu'à plus soif. J'ai fait mine de mettre la main à la poche, mais je savais qu'il n'y n'avait plus rien, j'avais donné mes cent francs au bar. Ses traits se sont couverts d'angles aigus. Une inconnue. Elle ne me considérait déjà plus. Elle m'a fait signe de sortir, avec une froide indifférence dans le geste, comme si elle regrettait d'avoir laissé ses poivrons pour moi. Elle a ouvert la porte et elle a interrogé la cour d'un regard racoleur, à la recherche de prétendants à sa beauté, plus généreux. Je voulais me justifier, suggérer que si c'était une question d'argent, j'allais chercher mes petites économies chez moi et lui rapporter. Mais rien ne sortait. L'escadrille de police militaire avait quitté les lieux. J'étais mal. Je n'avais plus rien à faire là. Elle a réintégré son débarras, a ramassé une gamelle, ses poivrons, un couteau, et elle est revenue se poster en embuscade, face au bar. Elle s'est replongée dans ses épluchures. Je me suis sauvé la queue basse, en renard pas plus rusé que les autres.

Plus tard, j'ai retrouvé Brahim et Saïd. Nous avons échangé nos impressions de voyage. Chacun a commenté ses diapositives. Brièvement, car au fond, il n'y avait pas grand-chose à dire. J'ai proposé de faire escale au hammam. J'avais un brûlant besoin de purification à la vapeur. Je rêvais d'un masseur qui allait extraire quelques bons rouleaux de spaghettis de crasse de mon corps et les balancer au tout-à-l'égout.

Lyon

Deux nouvelles sont tombées chez nous.

Primo : un télégramme d'Akila. Première fois de notre vie de famille que nous recevions un télégramme. Quelqu'un était décédé ? C'était écrit : *La maison prend l'eau. Qu'est-ce qu'on fait ? Réparation ou abandon ?*

Je n'ai rien compris. C'est moi qui ai réceptionné la nouvelle. J'ai déchiré le papier.

Secundo : M. Oas, mon collègue de travail, a eu un accident. C'est Patrick qui me l'a dit. Sa sœur lui est rentrée dedans sur l'avenue, alors qu'il courait pour prendre le bus 44. Elle l'a fauché par le côté : deux jambes cassées, traumatisme crânien. Je n'ai pas pu m'empêcher de rire en imaginant la scène. Mais j'étais prudent : cela voulait dire que l'Oas avait perdu, mais pas obligatoirement que les autres avaient gagné !

Lyon

La directrice du centre social était rassurée de rencontrer des citoyens engagés. Derrière ses lunettes, elle se disait que l'avenir du monde n'était pas si terne. Lorsque je lui ai proposé d'organiser d'urgence une collecte dans le quartier pour les sinistrés du tremblement de terre, avant l'épidémie de choléra, elle nous a ouvert son bureau et, sans plus tarder, elle a proposé de tirer un tract que nous allions distribuer dans tous les lieux de rencontre de la population des immeubles. J'ai écrit sur un papier ce dont nous avions besoin, en me référant à des interviews de la télévision : toiles de tente, médicaments, vêtements, couvertures. Prière de déposer tous vos dons au centre social ou à l'église. J'étais aussi allé voir le responsable des catholiques du quartier. Il avait fort apprécié l'initiative.

Le lendemain, *Le Progrès de Lyon* diffusait l'annonce de l'Opération Solidarité. Deux jours plus tard, l'entrée du centre social et les portes de l'église étaient obstruées par des colis et des paquets que des anonymes, sans discontinuer, étaient venus déposer. Une telle générosité allait bien au-delà de nos espérances. Qui proclamait que l'individualisme progressait dans les mentalités des habitants de la société de consommation ? Que seules les Républiques Socialistes Démocratiques étaient créatrices de liesse populaire ?

Le peuple de mon quartier m'enorgueillissait tant que l'envie me titillait de grimper au sommet d'un immeuble et pousser un *Yeaahh* de jubilation. Quant à mon autre pays, la fierté de le servir enfin me faisait monter les larmes aux yeux. Mon ami le fellah du village socialiste allait bientôt passer la nuit sous une tente, bien au chaud, dans des couvertures offertes par des inconnus au cœur grand, qui, dans des moments importants comme ceux-là, avaient envie de faire prendre l'air à leur cœur. J'avais du courage, à présent. Je pouvais y aller.

J'ai fini par informer Yemma du télégramme d'Akila. Elle m'a forcé à rédiger une réponse, l'expédier de toute urgence à la poste : *Qu'est-ce que c'est que cette histoire de maison qui prend l'eau ?* Stop. *Il faut réparer.* Stop. *Trouve l'argent, je te rembourserai.* Stop.

Elle m'a dit de garder le secret. Pauvre père, s'il savait.

Un soir, je me suis lancé. Mes pas m'ont conduit devant la porte d'un troisième étage, avec un paquet de tracts à la main. J'avais demandé à Jésus de m'accompagner, car il fallait s'attendre, au cours de notre passage chez les gens, à des réticences. Au cas où mon faciès inspirerait quelque inquiétude aux personnes âgées, il était préférable de disposer d'un indigène caricatural à mes côtés, histoire d'exhiber des couleurs locales. Lui aussi était content de faire du porte-à-porte pour une action humanitaire. Il insistait pour voir Anna de près. Je ne comprenais pas cet acharnement.

Deux noms figuraient sur les boîtes aux lettres correspondant au troisième étage : Lambertini et Mathieu. Elle s'appelait Mathieu, j'en étais sûr. Anna Mathieu. Une intuition. Nous sommes entrés. Dans le hall, devant l'ascenseur, un type marinait, avec un imposant frigo à côté de lui. Il n'avait pas l'air de vouloir affronter l'épreuve des escaliers à pied. Quand il nous a vus débarquer et attendre l'ascenseur, il a ronchonné, puis il a fini par avertir que l'engin avait un nombre de places limité, il ne pourrait charger tout le monde. Naturellement, il incluait son réfrigérateur dans « le monde ». Nous n'avons pas insisté, nous sommes montés à pied. Au troisième étage, Jésus a sonné chez Lambertini, juste en face de la porte d'Anna, pour faire diversion, soi-disant, donner l'impression à la population, et surtout à la famille Mathieu, que nous passions chez tous les gens, sans discrimination.

Chez Lambertini, il n'y avait personne. Dès le premier coup de sonnette, un chien s'est mis à aboyer. Pire qu'un répondeur téléphonique, du genre *Vous êtes bien chez mon maître. Il n'est pas là. Laissez un message et tirez-vous.* Jésus a sonné une deuxième, puis une troisième fois. Le chien redoublait de rage. L'escalade ne m'inspirait rien de bon. J'ai proposé à Jésus de nous éloigner, mais l'excitation de l'animal l'amusait. Tout à coup, l'ascenseur s'est immobilisé à notre étage, nous nous sommes retournés. Un frigo a débarqué, suivi d'un porteur tout essoufflé. Le chien gueulait toujours. Le frigo a avancé vers nous en se dandinant, puis l'homme a surgi de derrière, nous a fusillés du regard, à la manière d'un douanier sur un gros coup. Je voulais le rassurer : N'ayez crainte, monsieur, nous sommes des bienfaiteurs de l'humanité. Hélas, il avait des idées préconçues et aucune intention de nous laisser mener le débat. Il a pointé son menton devant lui : « Vous cherchez ? » Le chien qui clabaudait derrière la porte incitait furieusement à la haine raciale : Vas-y, Marcel, fous-leur le frigo sur la gueule. Ils n'ont pas arrêté de m'opprimer, ces deux escrocs de l'humanitaire ! Ces vociférations canines agaçaient le Marcel en question. C'est alors que Jésus, avec son tact habituel, a fait une somptueuse association d'idées :

– Vous êtes Lambertini ?

L'autre :

– Je vous demande qui vous êtes, moi ?

Jésus, présentant les tracts :

– On fait une collecte pour le tremblement de terre... pour aider les sinistrés...

L'autre :

– Et vous, vous m'avez aidé à porter mon frigo ? Hein ? Qui c'est qui va m'aider à porter tous mes frigos à moi, hein ? Pourquoi c'est toujours Lambertini qui doit porter les frigos du monde et c'est jamais le monde qui se coltine les frigos de Lambertini ?

Avec des revendications aussi élémentaires, le débat s'annonçait sous de tristes auspices.

Le chien ajoutait sa sauvagerie au réquisitoire de son maître. A tous les deux, ils formaient de l'uranium de haine enrichi. Le type manifestait un sérieux contentieux avec l'humanité, il valait mieux lui laisser la voie libre. Jésus était embarrassé avec ses tracts à la main. Comme il ignorait les détails du curriculum de Lambertini, il avait du mal à rebondir à ses propos, mais il n'a pas jeté l'éponge :

– Vous voulez pas qu'on vous laisse un tract ? Vous pourrez le lire tranquillement, à tête reposée.

Alors là, le type s'apprêtait à nous balancer le frigo avec l'eau du bain, et la salle de bains avec, et à démolir toutes les maisons du monde autour de lui, un tremblement de terre commandé sur mesure juste pour nous enterrer dans une crevasse avec nos tracts. Sa tête enflait, cherchant ses marques entre le crapaud et le bœuf, quand la porte de l'ascenseur a de nouveau crissé dans notre dos, le chien a cessé de japper, la lumière du couloir s'est éteinte, à croire que tout avait été orchestré par Sid Ahmed de Vaulx-en-Velin. Lambertini s'est précipité sur l'interrupteur pour ne rien laisser dans l'ombre, les cambrioleurs porteurs de tracts pouvant profiter de l'éclipse et se dégager de l'étau. La lumière est revenue. Elle a ramené avec elle Anna. Sa mère, aussi. J'ai dévié mon regard. J'aurais voulu ouvrir la porte du frigo de Marcel et me planquer à plat ventre dans le bac à légumes. Elle me voyait de près, la sentence allait s'imprégner sur les murs du couloir : Ah, je te voyais plus beau, de loin. Et l'histoire se terminerait comme ça, bêtement, en eau de boudin, sur un palier, entre un copain, un fou, un frigo et un chien, avec une minuterie qui s'enclenche, qui se déclenche, s'enclenche, se déclenche. J'ai déployé mes mains sur mon visage pour conserver mes chances. Elle et sa mère observaient.

Anna resplendissait dans ce couloir, un bouquet de tulipes à elle toute seule. Je regrettais à présent d'avoir imposé ma modique présence sur le seuil de sa porte. Sa mère aussi était jolie. C'est elle qui nous a salués la première avec un *Bonsoir* qui était en même temps une question, tandis que Lambertini cherchait déjà des signatures de témoins :

– Ces messieurs font une collecte, soi-disant...

Moi, j'étais déchiqueté. Il valait mieux ne pas me demander de participer à l'explication. Mon cœur était tombé sur l'estomac et l'estomac dans les talons. Heureusement, Jésus n'était pas en amour, il pouvait garder la tête froide.

– C'est pour le tremblement de terre... On passe chez les gens...

Il a tendu le tract à Mme Mathieu. Elle l'a pris. Elle l'a lu un peu. Elle m'a regardé, pour faire le rapprochement. Mais elle ne pouvait voir que mes cheveux, car je ne levais pas la tête. Elle a dû penser que j'avais « une faille », moi aussi.

Lambertini insistait :

– Y a même des faux agents d'assurance qui passent chez les gens pour les *ex-croquer*... Y a même des faux agents de police qui viennent vous voler... Y a même des anciens détenus qui se mettent à vous vendre des galettes *des rois*, alors ?

Alors, des porteurs de tracts pour un tremblement de terre, il y avait du lézard dans l'air. J'étais sur le point de lâcher le morceau, avouer à Anna, cœur à cœur : Tout est à cause de moi. Je ne savais pas comment te parler, j'ai prétexté un tremblement de terre, je le regrette.

Mme Mathieu a voulu rendre le tract à Jésus. Par réflexe, je me suis interposé :

– Gardez-le.

Elle est restée en suspens. Je savais qu'elle l'expédierait probablement à la poubelle dès que nous aurions disparu de sa mémoire, mais je souhaitais qu'Anna le garde pour qu'elle sache qui je suis. Qu'elle lise entre les lignes. La prochaine fois que je la verrais à l'arrêt de bus, je lui dirais que cette zenzela, je l'avais vue dans une nuit prémonitoire, et au milieu de la nuit, il y avait elle, Anna, qui m'appelait au secours, elle avait besoin de moi, ça me faisait tant de bien, une fille à aimer.

M. Lambertini tournoyait autour de sa réfrigération, persuadé qu'il fallait battre le fer pendant qu'il était chaud.

– J'espère qu'un jour les HLM vont nous installer des interphones contre ces humanistes à la mords-moi-l'nœud...

Anna me fixait comme si j'étais un étranger dans son regard. Ne me reconnaissait-elle point ? Hé, c'est moi, l'arrêt de bus ! Tous les matins, sept heures vingt-deux ! Je n'ai rien pu dire. Sa mère a sorti les clefs de son sac, a ouvert la porte, a dit au revoir, elles sont rentrées. L'histoire était finie. M. Lambertini a de nouveau canalisé son énergie intellectuelle sur son frigo et assuré son chien que tout danger était écarté, ça allait, il arrivait. Avant qu'il ne laisse les crocs de l'animal goûter la consistance des fesses de Jésus ou de mes mollets, j'ai proposé à mon acolyte de poursuivre notre tournée des cœurs généreux. M. Lambertini était déçu par notre empressement :

– Vous partez déjà ?

Le fourbe causait pour gagner du temps et libérer son fauve. Nous nous sommes élancés dans les escaliers à toutes enjambées pour une évacuation d'urgence. Jésus criait comme un fou :

– Il va lâcher son clébard ! Vite !

Alors, pour se délester, il a balancé dans le sirocco tous les tracts qu'il tenait en main, les tracts de mon tremblement de terre, de ma prémonition. Je me suis figé net. Ce geste attirerait le malheur. Impossible de laisser faire, je devais les ramasser. Mais j'ai aussitôt pensé au chien. Entre les tracts et l'animal, j'ai jugé finalement qu'il valait mieux abandonner les papiers, alors j'ai suivi Jésus en sautant les escaliers cinq par cinq, comme on dévale un cimetière musulman pour aller rechercher son frère Nabil enlevé par des inconnus. Quand nous sommes arrivés à l'air libre, j'haletais comme un amoureux avec un doberman aux trousses. Il faisait beau. Le ciel était en fête. Un temps à mettre ses poumons à sécher sur le rebord d'une fenêtre. J'ai levé la tête vers le troisième étage. J'ai vu les yeux d'Anna. Ils étaient braqués sur moi. Jésus a vu, lui aussi.

– Regarde, elle me regarde ! il a dit.

Ça m'a énervé. C'était moi qu'elle regardait. Je lui ai dit que je n'aimais pas ce détournement. Je finissais par en avoir vraiment marre de ces gamineries.

Il a demandé :

– Ça te fait mal ?

– Oui.

– Où ça ?

Drôle de question. J'allais lui répondre une insanité, mais j'ai désigné mon abat :

– Là. En plein cœur.

– Tu l'aimes ?

– Qu'est-ce que ça veut dire *Tu l'aimes ?* Moi, j'en sais rien... se jeter du haut d'un immeuble sur une 2 CV parce qu'on est fou d'amour, c'est ridicule ! Moi, je ne suis pas comme ça.

– C'est les lâches qui sont amoureux comme ça...

– Qu'est-ce qu'ils ont à voir, les lâches ?

– J'en sais rien, mais le type qui devient zinzin parce qu'il est amoureux d'une femme qu'en a rien à foutre de lui, c'est une perte pour l'humanitaire... Il ferait mieux de donner sa peau pour un truc qui vaut le coup...

Faire une collecte pour un tremblement de terre, par exemple... j'ai pensé en jetant un coup d'œil derrière, en haut. Anna n'était plus là. Jésus a voulu voir. Cette fois, j'ai posé mes mains sur ses épaules pour l'envoyer chercher ailleurs, dans la direction du balcon de sa fiancée, s'il en avait une. Je me suis emporté :

– T'es chiant ! Trouve-toi une fille à regarder et laisse Anna tranquille. Elle a assez de mon regard.

Il s'est marré de plus belle. Il a poursuivi :

– Bon, ben, la prochaine fois que je la vois, on lui demandera qui elle préfère de nous deux.

Il était capable de le faire, le mécréant. Je n'ai rien répondu. Je savais bien qui elle préférait, je ne la regardais pas depuis des mois et des mois à l'arrêt de bus pour qu'elle aille s'encanailler à la première occasion, avec le premier VRP venu. J'avais totale confiance en elle. Nous avions édifié une passerelle entre nos yeux, il en fallait du temps pour un ouvrage d'art pareil ! Jésus l'ignorait. Il allait s'en rendre compte à ses dépens. Mais l'idée qu'il aille lui parler ne m'incommodait pas, au contraire, il lui parlerait de moi. Ainsi resterais-je à l'épicentre des conversations.

– D'accord, j'ai dit. Si tu le fais, je t'achète des jumelles spéciales paysage.

Nous sommes rentrés chez nous. Sur un balcon, derrière nous, un homme seul causait avec son frigo et son chien. Moi, je n'étais pas seul au monde. La chance. Cependant, je ne parvenais pas à me débarrasser d'un détail : Jésus avait balancé les tracts de ma prémonition dans les escaliers. Un geste malsain. Je flairais le mauvais présage. Fallait rester aux aguets.

☆

Lyon

Depuis la première zenzela, il n'y a pas eu d'autres secousses. L'ogresse repassait rarement une seconde fois avec la même voracité sur l'échelle de Richter. Le pire était en amont. Yemma louait sans réserve ma voyance. J'étais son facteur du ciel, je lui apportais des nouvelles de demain. Les gens d'ici se flattaient de leur action collective. L'engagement humanitaire faisait chaud au cœur. La collecte de tentes, de couvertures et de médicaments pouvait à présent servir à beaucoup de zenzelas à venir, tant elle était abondante. On avait de la réserve en stock. Il fallait trier sacs et cartons. Parfois, bien sûr, des habitants, heureux de soulager leurs caves et greniers, avaient saisi l'aubaine pour refiler leurs vieilleries aux déshérités du Tiers Monde, mais ça ne faisait rien, on était contents. A présent, il fallait louer un camion pour transporter ce matériel jusqu'à l'aéroport ou au moins l'ambassade. De là, les autorités se chargeraient de l'acheminement jusque chez mon ami fellah de Béni Mezlough.

Mon père était à la maison. Il s'occupait avec application à se faire une beauté du côté des ongles de pied. En face de lui, la télévision semblait attendre son heure tel un cyclope dormeur, avec son écran clos où se reflétait notre salon. Derrière, dans les coulisses de la programmation, *Chapeau melon* et *Bottes de cuir* mettaient une dernière touche à leur maquillage et mon père guettait leur entrée cathodique. Je l'ai embrassé. Il a dit :

– Alors, tu as collecté beaucoup de choses pour les gens du pays ? Je suis fier de toi.

– Oui, beaucoup de tentes, de couvertures... je vais maintenant aller à l'ambassade pour expédier ces marchandises vers la zenzela.

Il a pris comme une décharge. Il a posé son coupe-ongles, déplié le pied et, sans me regarder, il a fait :

– L'*embrassade*... ? Pourquoi ? Et l'armée ? Tu as pensé à l'armée ? Fais attention, tu n'es pas en règle. S'ils s'en rendent compte, tu vas te retrouver en treillis, en plein désert, à Tindouf ou Tamanrasset, tu vas même pas savoir comment... *En-tten-tion*...

Il a appuyé un index sous son œil gauche et il a tiré vers le bas, sa façon de me dire : Garde l'œil bien ouvert sur le monde, mon fils, c'est plein d'orties. L'idée de voir son apprenti marabout séquestré dans une caserne creusée au creux des dunes du Sahara, assiégé de scorpions, avec un accent gaulois qui lui attirerait des ennuis dans les dortoirs, loin de son quartier, de sa famille, lui perçait l'intestin grêle. Deux années de souffrances, pas moins, juste pour apprendre à presser la détente d'une kalachnikov, dégoupiller une grenade, au cas où le pays aurait des différends avec un voisin turbulent. Deux années loin de ma vie. Deux années loin d'Anna. Irréalisable. Mais je m'amusais à faire peur à mon père :

– Pourquoi ? Tu ne veux pas que je fasse l'armée ?

La question réveillait des fantômes dans sa tête, toutes les angoisses du fellah qui avait quitté sa terre, son village, sa djellaba, pour partir sur les routes goudronnées de la ville, sans mesurer l'irréversibilité du voyage. Quelque chose lui échappait. Des sentiments confus le contraignaient à cligner des paupières de manière saccadée. Ses lèvres sèches se rétractaient. Le bon citoyen patriote devait donner son fils en sacrifice à la République Socialiste Démocratique et Populaire, mais le père se morfondait en l'imaginant au milieu d'un monde ensablé, sans aucun cœur de secours à l'horizon.

– Si. Mais... si Allah le veut, nous rentrerons tous ensemble à Sétif, la 504 nous attend... et...

Il s'est trouvé à court d'arguments. Il faisait secrètement le compte du reste de sa vie. Une, deux, cinq, dix... Combien d'années passées en exil? Combien d'années à abuser de l'hospitalité française? Quand viendrait le temps du retour?

Il a repris :

– Moi, j'ai une appréhension... si tu vas à l'*embrassade*, ils vont t'écouter et ensuite quelqu'un va te questionner : mais au fait, toi, est-ce que tu as fait l'armée? Est-ce que tu es en règle vis-à-vis de la Révolution? As-tu payé l'impôt du service militaire comme d'autres ont donné leur vie au moment de la guerre de Libération nationale?

Ironiquement, j'ai annoncé que j'informerais les autorités de mes dons de prémonition. Je leur dirais : Je suis marabout! Mon père a soupiré de dépit. Puis il a laissé sa tête se balancer, pour égrapper tous les sévices militaires que je risquais de subir dans les tranchées, pour une guerre du sable qui n'était pas la mienne, au fond.

– Fais attention, mon fils. C'est mon conseil.

Ma sœur, qui n'avait rien manqué, était tracassée par un scénario catastrophe : elle me voyait mal dans une caserne sans télévision. Elle s'est forcée de pouffer. Elle redoutait, elle aussi, qu'on m'emmène loin. Elle n'aurait plus ma tête de Turc à portée de main. Contre qui existerait-elle, alors? Elle s'est mise à comploter avec mon père. Je pensais au fellah de Béni Mezlough, à ces lumières inouïes du crépuscule qui perlaient sur ses collines argentées, à la *Yellow Brick Road* de Mister Elton

John qui remplissait ma 504. J'avais besoin d'un pays. Un endroit où m'arrêter. Une oasis. Il fallait que je franchisse le pas.

– Demain matin, à l'aube, j'irai à l'ambassade, j'ai déclaré à mon père.

Il a fait bouger son index. Simplement.

J'étais dans ma chambre, branché comme une parabole sur le balcon d'Anna, quand le téléphone a sonné. J'ai pensé à Akila et la maison de Sétif. Yemma a dû plonger sur le combiné en imitant Abdellatif Bennazi en train de plaquer un adversaire, car la sonnerie n'a retenti qu'une demi-fois, étranglée. Je l'ai ensuite entendue converser. L'appel provenait au moins des antipodes, d'Australie ou de Nouvelle-Calédonie, à en juger par tous les watts qu'elle grillait. Elle visionnait son correspondant très loin au bout de la ligne, aussi hurlait-elle pour mieux se faire entendre. Comme mon père, elle avait du mal à s'adapter à ces objets techniques et sophistiqués qui envahissaient sa vie. Elle parlait arabe. Après toute la rituelle série des salamalecs – *comment ça va ? et toi ? et tes enfants ? merci ça va bien, et tes enfants à toi ? merci ça va aussi, et toi, la santé ? Al hamdoullah, et lui... ?* –, j'ai deviné qu'elle donnait de mes nouvelles. Je commençais à reconnaître le nom de l'émetteur qui était à l'autre bout. Quand elle a demandé comment se portait son adorable fille, qui était si bien élevée, qu'Allah lui accorde le bonheur qu'elle mérite..., j'ai eu confirmation de mon intuition : c'était le maraboudficelle Sid Ahmed de Vaulx-en-Velin. J'ai revu Anifa qui passait dans ma mémoire, mes yeux en plongée sur ses petits seins.

– Farid ? Farid, viens vite, Sid Ahmed voudrait te dire quelques mots. Vite.

Ma mère appelait, j'ai quitté le balcon d'Anna. Je suis allé vers elle. Elle m'a tendu le combiné, joviale. Quel honneur d'être appelé en direct par le Grand Esprit de Vaulx-en-Velin ! En saisissant l'appareil, j'ai fait une mise au point :

– Yemma, tu sais, c'est pas la peine de crier quand tu causes au téléphone. Même si tu parles normalement, la personne de l'autre côté t'entend quand même...

J'ai fait un essai pour lui montrer. J'ai approché le combiné de ma bouche et j'ai imité un accent de foyer Sonacotra :

– Allou ? Qui c'i toi ?

Puis j'ai éloigné l'appareil de ma bouche :

– Tu vois, pas plus fort, ça va très bien...

Elle se mordait la lèvre inférieure en murmurant : « C'est le marabout. Mais t'es dingue ou quoi, c'est Sid Ahmed, je te dis ! Parle-lui. » Et moi, je faisais des essais de voix dans le combiné pour lui enseigner la façon d'économiser ses décibels : « Un, deux, trois. Un, deux, trois... One, two, fri, vive l'Algérie ! » Tandis que dans le petit cercle percé de points noirs que je tenais à la main une voix maraboutique cherchait la sortie : « Allou ? Allou ? Farid ? » Ma mère allait étouffer en avalant ses lèvres, alors j'ai cessé de faire le professeur et j'ai repris mon sérieux. Je me suis branché téléphoniquement avec mon collègue Bouddha de banlieue. Il s'est inquiété de mon état de santé, s'est interrogé sur ce que j'avais fait ces derniers jours, ce que je comptais faire de mes lendemains, j'ai dit que j'avais ordre de me rendre sur les lieux où ma présence était requise, pas plus. Il a dû saisir ce que ce flou signifiait. Il scandait mes réponses par une ritournelle digne d'un *adjugé-vendu* de commissaire-priseur : « Que le Tout-Puissant accepte ta destinée. » Je ne mesurais pas la portée des mots, mais je me voyais contraint de prononcer à mon tour des incantations à consonance grave, en ma qualité de marabout stagiaire :

– Inch'Allah.

Il a dit :

– Tu te souviens de ce que je t'ai dit, la dernière fois ?

Pour ne pas l'offenser – un apprenti pouvait-il oublier les paroles si pleines de sens d'un maître de son envergure ? – j'ai dit oui, mais un « oui » qui voulait dire « pas tout à fait », ou bien « dis-en un peu plus pour éclaircir ma mémoire défaillante ». Mais il n'a pas relevé la nuance. Il a continué son bonhomme de chemin :

– Alors, qu'est-ce que tu en penses ?

J'ai réfléchi. Fallait que je déniche vite dans ma tête « ce que j'en pensais ». Heureusement, fin psychologue, il a senti mon hésitation et suggéré de m'offrir une pause-méditation.

– Tu as le temps de réfléchir. Il ne faut pas précipiter des choses comme ça.

– Oui, bien sûr. J'ai le temps. Je dois prendre le temps, Inch'Allah.

– Inch'Allah.

– Tu sais, c'est quand tu veux, Farid. On peut considérer qu'on forme une même famille, toi et tes parents, le même douar, la même tribu. On est presque du même sang. Tu comprends ?

– Le même sang, oui. Je comprends parfaitement…

Ma mère avait l'oreille collée sur l'écouteur. Elle ne perdait pas une miette de notre conversation si limpide. Mais, diantre ! je ne savais toujours pas ce que mon collègue était en train de me vendre. Il a poursuivi :

– Les choses qui doivent se faire se font.

J'en ai trouvé une autre :

– Les rendez-vous qui doivent avoir lieu ont lieu.

Ma mère a cligné de l'œil pour me féliciter de cette formidable réplique. Le marabout a respiré fortement :

– Ah, voilà qui est bien dit : c'est une parole d'homme. De vrai Sétifien. Personne ne peut échapper à sa destinée.

– Non, personne ne peut sortir de son destin.

– Un jour, dans ta vie, tu trouves une personne à un croisement, tu la regardes, elle attend quelqu'un. Tu lui demandes : Qui attends-tu ? Elle sourit, te regarde dans le blanc des yeux et te répond : Toi. Et voilà. Le destin s'accomplit à la croisée des chemins.

J'ai dit :

– C'est ça, la vie. Je me soumets.

Le marabout était heureux. Sa voix chantait. Il a dit :

– Vraiment, je suis comblé. J'en étais sûr.

Une telle exultation était rafraîchissante. Certes exagérée, mais rafraîchissante quand même. Comment un amoncellement de banalités aussi vénales était-il capable d'emporter si loin les émotions de Sid Ahmed ? Et celles de ma mère ? Les pommettes de ses joues ressemblaient à deux steaks tartares. Deux abcès de plaisir. Le marabout a entamé sa conclusion, tout en douceur, comme un atterrissage à Roissy-Charles-de-Gaulle.

– Bon, aujourd'hui est un jour heureux. Dis à ton père que je viendrai le voir bientôt. Nous nous arrangerons...

Là, j'ai eu un tilt. Une lumière rouge s'est allumée, comme devant les maisons de Mädchen mit Hertz de Salzbourg. Train d'atterrissage non sorti. Attention, attention, attention.

J'ai dit d'accord, afin d'amputer cet échange philosophique sans fin.

– Je vais te laisser maintenant, Farid. Je suis fier, heureux, comblé...

J'étais dérouté par ce flot. Je ne pouvais pas, afin de respecter le minimum de courtoisie, laisser Sid Ahmed déborder tout seul. J'ai dit, pour partager et prendre à ma charge une partie de cet accès, que moi aussi, j'étais content : content d'avoir organisé une collecte, content d'avoir mobilisé les gens de mon quartier, content d'avoir rencontré Anna, content...

Ma mère a dit *El hamdoullah*, et Sid Ahmed a repris en chœur. Puis il m'a dit au revoir. J'ai raccroché. Yemma a tenu l'écouteur sur son oreille jusqu'à ce qu'elle soit certaine que Sid Ahmed avait lâché le bout du fil, puis elle s'est à nouveau emparée du combiné que j'avais reposé, a écouté aussi loin que son ouïe pouvait l'emmener, et, convaincue par les sonneries régulières de la ligne interrompue, elle a raccroché l'appareil. Elle m'a carrément sauté dans les bras.

– *Mabrouk*, mon fils. *Mabrouk air-lik*[1] !

Elle a lancé en l'air une série de youyous. Je n'ai pas décodé sur le coup. Histoire de n'offusquer personne, j'ai dit : « OK, OK, y a pas de quoi s'enflammer. » Puis elle a lâché la clef de l'énigme :

– Sid Ahmed te donne sa fille, et, en plus, il prend la peine de téléphoner pour ça. C'est un bonheur pour notre famille tout entière.

Et elle est allée s'asseoir, pour cause de trop de bonheur à porter en même temps dans les jambes. Comble de la joie, elle s'est mise à pleurer à la sauce sicilienne en gémissant sur son sort maudit de mère abandonnée :

1. Contrairement à ce qu'on pourrait croire, il ne s'agit pas d'une compagnie de lignes aériennes de Vaulx-en-Velin ou Sétif, mais de l'écriture phonétique en français de l'expression arabe : *Félicitations à toi !*

– Bou, bou, bou, mon fils. Ils vont me prendre mon fils. Bou, bou… mon fils, qui va me le remplacer ? Mon fils adoré, mon fils chéri…

De sa main droite, elle a chiffonné un bout de sa robe, essayant de garrotter sa douleur. De l'autre, elle se mouchait le nez. J'étais sidéré, j'avais envie d'éclater de rire devant un simulacre pareil. N'empêche, j'étais mal. Je tentais d'évacuer la vérité, ce que mes oreilles avaient bien enregistré : je venais de raccrocher le combiné en acceptant d'épouser Anifa. Chez nous, on ne plaisantait pas avec ces liaisons familiales. J'avais dit oui. Les agents des télécommunications pouvaient en témoigner à tout moment. J'avais dit oui, à l'orientale, c'est-à-dire en suggestion, en allusion, à demi-mot et hélas, il n'en fallait guère plus pour que l'affaire soit engagée. Yemma s'exerçait à pleurer, ma sœur l'accompagnait, maintenant, avec des « Yemma, ne pleure pas. Ne pleure pas… » en la serrant dans ses bras.

– … il reviendra, Farid. Il reviendra. D'ailleurs, il ne va pas partir, il habitera dans notre maison, avec nous, avec sa femme… ne pleure pas…

Elles se faisaient leur cinéma à toutes les deux. Seul Nabil gardait les pieds sur terre :

– C'est quand qu'on mange, j'ai faim !

Mon père a réclamé le silence, c'était l'heure de *Stive*. Il a dit :

– Yekfi ! Maintenant, laissez-moi regarder *Stive* tranquillement.

Il a ordonné sèchement à Nabil :

– Toi, au lieu de rien faire, va allumer la télé. Y a Missiou *Stive qui va vinir*.

L'heure de *Chapeau melon et Bottes de cuir* avait sonné. Pouvait bien se produire un tremblement de terre, une crise cardiaque, un meurtre, un bombardier qui percute notre immeuble, un mariage, mon père ne pouvait manquer son *Stive*. C'était son repère de vie, simple, alors que moi je m'interrogeais sur le double sens du mot « malentendu » en français.

Quelle coïncidence ! A peine Sid Ahmed venait-il de me vendre Anifa-les-jolis-seins que le téléphone a sonné une deuxième fois. Bizarrement, personne ne s'est jeté dessus. J'ai décroché le combiné, comme si tout le monde s'accordait à penser que c'était un appel pour moi. Akila, en direct de Sétif, pleurait tout ce qu'elle pouvait. Venait-elle de réaliser que Jean-Jacques Rousseau était mort depuis longtemps ? Non. Depuis le bureau de poste de Sétif, elle nous informait de la catastrophe. Il lui a fallu un bon moment pour se calmer et laisser passer ces mots : « La maison s'est écroulée. Oh, mon Dieu... » Ensuite, les larmes noyaient sa bouche et tous les mots étaient imbibés et bouchonnés. J'ai raccroché. Je me suis tapi dans ma chambre sans rien dire, pour ne faire de mal à personne. Je détestais contrarier la tranquillité des autres. Annoncer des nouvelles comme ça rimait à quoi ? Après coup, je me suis demandé si le téléphone avait réellement sonné.

Zone diplomatique

Je me suis rendu à l'*embrassade* de mon pays, au centre-ville. Ce n'était pas la première fois. Souvent, j'avais dû accomplir des formalités administratives, notamment renouveler ma carte de sursitaire du service militaire. J'aimais retrouver, au cœur de la capitale des Gaules, l'ambiance épique et épicée du bled : les gens qui faisaient la queue aux guichets, les gamins qui couraient dans les couloirs en attendant leurs parents, les hommes âgés accoudés à un coin de mur qui se faisaient remplir leurs papiers par des jeunes, les femmes qui patientaient en salle d'attente, les cigarettes qui se consumaient sous les panneaux où était affiché (en arabe et en français) *Interdit de fumer*, les agents administratifs en costume cravate arborant un air *business class*, qui sortaient d'une porte, un dossier à la main, et traversaient la foule, suivis au pas par des paires d'yeux qui épiaient chaque mouvement de paperasserie. Quelquefois, la sonnerie du téléphone faisait vibrer l'ambiance chaotique des lieux. Comme au pays, les histoires de papiers, de documents administratifs, de certification conforme, de timbres fiscaux, de date périmée... conditionnaient le bonheur ou le malheur des fellahs immigrés. Les travailleurs et les familles venus régler leurs problèmes arrivaient parfois de Valence, Saint-Étienne, Roanne ou Besançon.

Quelques-uns, pour s'assurer une place en tête de file, passaient la nuit devant l'*embrassade*, somnolant sur le trottoir.

Malgré l'atmosphère fil de rasoir, j'aimais cet endroit, c'était chez moi. Dès que je suis arrivé devant la porte, un vieux travailleur Sonacotra s'est planté devant moi :

– Tu sais écrire, mon frère ?

A peine avais-je enregistré la question qu'il me tendait déjà un formulaire à remplir ainsi que sa carte de résidence, afin de pouvoir exporter un véhicule au pays.

– Vas-y, tu me rendras un service inestimable. Remplis ce papier, moi je ne sais pas écrire. Je n'ai pas appris.

Vas-y, Dieu récompensera tes parents de t'avoir donné la vie...

La formulation prêtait à sourire. Il avait les deux bras lancés vers moi. Ses yeux brillaient de fatigue. Il était mal rasé. Il me faisait pitié. Je ne pouvais pas refuser. Sur un coin de table vide, j'ai rempli la feuille consciencieusement. Pendant que j'écrivais, je mesurais le dénuement de ces hommes qui – comme mes parents – ne savaient ni lire ni écrire. Quelle sensation devait ressentir ce vieux en me regardant manier mon stylo ? Trouverait-il toujours un ami des fellahs sur son chemin ? Ne risquait-il point d'être un jour la proie de ceux qui lisent à haute voix et inventent des circonvolutions démocratiques socialistes et populaires au profit de leur mégalomanie ?

Du coin de l'œil, j'ai aperçu un autre fellah, égaré dans le monde des illettrés, qui se rapprochait de nous. Il devait me prendre pour un attaché de l'*embrassade*, chargé de secourir les analphabètes. Quelle méprise ! Ses doigts serraient des papiers à noircir, déployés en éventail andalou. Je n'avais pas intérêt à traîner dans les parages, sous peine d'être transformé en écrivain public. J'ai terminé à la hâte de remplir la fiche du premier et j'étais prêt à m'enfuir quand il m'a arrêté en me hélant « Attends, attends ! », et il a mis la main à sa poche pour prendre de l'argent. Juste à voir la qualité de la veste, rapiécée avec des rustines de chambre à air, j'avais déjà évalué la fortune du vieux. Délicatement, j'ai posé ma main sur la sienne pour la bloquer : « Non, merci, j'ai fait ça par plaisir. » J'ai pensé au fellah que j'avais pris en stop avec Elton John, au pied des collines de Béni Mezlough. Il était gêné. Il a insisté un moment, mais je suis parti. Puis, un homme à la carrure d'une armoire à glace s'est avancé et s'est placé en travers de mon chemin.

– Où tu vas comme ça, Si Mohamed ?

Sur le coup, je voulais, histoire d'accentuer l'écart d'identité, lui rétorquer en anglais : *Excuse me, Sir, but my name is not Si Mohamed. I am Farid. Happy Toumitiou.* Faut dire que ses moustaches lui donnaient un air de Clark Gable recyclé dans la surveillance de supermarchés. Il m'a irrité d'emblée. La courtoisie minimale eût voulu qu'il me saluât et qu'il me demandât ensuite s'il pouvait me renseigner, m'être d'une quelconque utilité. Mais le grossier me traitait comme un numéro, un jeton, un code mal barré. Il faisait partie de la famille des ânes bâtés qu'il était vain d'essayer d'éduquer. Je lui ai lancé sur un ton présidentiel :

– Je dois voir un responsable.

– Un responsable de quoi ? Il y a beaucoup de responsables, ici.

– Un responsable des militants.

A l'improviste, j'avais déniché ce mot à percussion dans mon vocabulaire. Un *militant* n'était-il pas quelqu'un qui militait ? Et si tel était le cas, c'était quelqu'un d'important, assurément. Le résultat attestait cette évidence, le moustachu a froncé les sourcils en lançant un coup d'œil vers le haut des escaliers pour chercher du renfort. Il était embourbé. Il ne savait que faire pour se sauver du piège de la double contrainte : si j'étais effectivement quelqu'un d'important, il risquait de m'offenser en me questionnant davantage, mais si j'étais un insignifiant, il risquait de se faire réprimander en me laissant pénétrer dans un bureau et bafouer le temps précieux d'un fonctionnaire. Il a visé du regard un guichet, peut-être pour me dégoter une place libre.

– Il y a beaucoup de monde, tu vois.

J'ai mis la pression.

– Je sais, mais je suis pressé.

Il a croisé ses mains dans le dos et il m'a fait face :

– Dis-moi plus de détails… militant de quoi, au juste ?

Il a très bien joué. J'étais obligé d'abattre mon jeu.

– Je dois aller au pays. Le tremblement de terre… ils ont besoin de volontaires. Je veux partir. Je dois y aller.

A mesure que je parlais, les mots me dépassaient. Mes yeux ont chauffé, je me suis mis à trembler et j'ai fini par éclater en sanglots. J'ai répété plusieurs fois, ramassant mes larmes, que je devais me rendre sur les lieux du tremblement de terre, c'était urgent, ma seule issue. Sir Mohamed Gable était ennuyé par mon trop-versé. Il n'avait même pas de mouchoir à me proposer. Heureusement, une jeune femme passait par là. La pile de passeports qu'elle portait indiquait qu'elle était employée de l'*embrassade*. Me voyant inondé dans cette mare de tristesse, elle est venue vers moi et m'a demandé la cause de mon émoi. J'ai raconté ma prémonition. Le planton était abasourdi. A présent, il me considérait avec délicatesse. Les mots éclataient comme des bulles de savon au bord de mes lèvres. La fille, encore plus secouée par mon histoire, a posé un bras sur mes épaules et m'a prié de l'accompagner dans son bureau au deuxième étage. Sa douceur me faisait grand bien. Nous sommes montés. Derrière moi, j'ai entendu le vieux dont je venais de remplir les papiers qui interrogeait le planton :

– Qui c'est, ce garçon ? Que lui est-il arrivé ? Il a été gentil avec moi…

Le planton a dit :

– C'est un voyant.

Le vieux a plaidé en ma faveur :

– Ouallah qu'il n'a même pas voulu prendre un centime de ma main.

Le bureau de la jeune femme était aussi spacieux que celui d'une standardiste, juste de quoi accueillir une table, deux chaises, un téléphone et un cendrier. Elle m'a fait asseoir. Je ne cessais de pleurer, mais j'ai réussi quand même à lui glisser que j'avais organisé dans mon quartier une collecte et que des gens admirables avaient apporté des tonnes de marchandises, tentes, couvertures et médicaments qu'à présent il convenait d'acheminer vers la zenzela.

– Je veux y aller. Ils ont besoin de volontaires. Je dois y aller..., répétais-je d'une voix cassée.

Elle m'écoutait, attendrie, me tendait des mouchoirs en papier pour sécher mes larmes. Elle m'a fait comprendre que les volontaires, ce n'est pas ce qui manquait dans un pays qui avait le dur privilège de détenir le taux de natalité le plus élevé du monde. J'ai insisté. Des volontaires comme moi, extralucides, ne pouvaient pas être mélangés aux autres. Je garantissais des actes magiques, exhumer les survivants, remonter le moral des victimes, soigner les traumatismes, et bien d'autres prouesses encore, elle n'avait qu'à s'informer auprès de M. Oas (il était encore à la clinique de la Sauvegarde, au troisième étage, lui aussi, chambre 321[1]). Il fallait que je sois sur place coûte que coûte. Elle m'a laissé me défouler. Quand j'ai eu fini, elle a décroché le téléphone, composé un numéro et m'a demandé de patienter. Un haut responsable allait venir examiner la situation avec acuité. Une mauvaise intuition a traversé mon esprit à ce moment-là. J'ai revu Jésus en train de courir dans les escaliers d'Anna et, dans un geste de panique, balancer les tracts au vent mauvais. Un geste malsain. En attendant, j'ai scruté des

1. A l'arrêt du bus 44, j'ai entendu des voisins qui en parlaient...

affiches touristiques qui tapissaient les murs verdâtres du bureau ; elles invitaient à venir passer des vacances, loin des turbulences du monde moderne, à Timgad au milieu du désert, Tipasa et ses ruines romaines sur la côte méditerranéenne, Tigzirt dans les forêts du littoral.

Mes pleurs ont cessé. La jeune femme me posait des questions diverses, tout en montrant des égards à mon sujet[1]. Quand l'homme haut placé est entré, il a demandé ce qui se passait sans dire bonjour, avec le souhait qu'on réponde au plus vite, son temps était minuté. La jeune femme a expliqué. Il a allumé une cigarette, s'est assis sur un angle de la table et m'a inspecté, les yeux mi-clos, agressés par la fumée du tabac. Elle racontait, il me regardait et je gardais la tête rentrée dans les épaules.

– ... c'est pour cela qu'il voudrait partir sur les lieux de la zenzela, a-t-elle justifié pour défendre mon dossier.

– Y a déjà trop de monde, là-bas. Trop de monde. On n'a pas besoin de volontaires..., a coupé l'homme.

– Mais il a organisé une collecte dans son quartier, il y a des tentes, des médicaments...

Elle insistait, histoire de dire qu'il fallait bien tenir compte de cet engagement humanitaire, mais surtout « citoyen », qui faisait de moi un cas particulier. On ne pouvait pas me renvoyer sans considération dans mes quartiers. L'administration n'était-elle donc pas capable de sentiments, d'un coup de cœur, entre deux coups de tampon mécaniques ?

D'un frétillement de paupières, il a réexaminé mon cas à partir de ce nouvel argument. Des citoyens zélés,

1. Mais peut-être devait-elle se dire : « S'il est voyant, un jour il va voir en rêve la combinaison gagnante du Loto ou d'un Grand Prix du président de la République et il va s'offrir un palais à Timgad, Tipasa ou Tigzirt. Le veinard !... »

plus socialistes que Karl Marx lui-même (le « voyant rouge »), il en avait déjà croisé pas mal dans les couloirs de l'administration et il avait appris à s'en méfier.

– Pourquoi vous voulez aller là-bas ?

J'ai redressé la tête.

– On m'attend.

– Qui ?

– J'ai fait un rêve prémonitoire. On m'attend, je ne sais pas qui... C'est mon mektoub. Personne ne peut rien contre ce qui est écrit.

Je récitais par cœur les mots de passe(-partout) de Sid Ahmed.

Le type a tiré une vaste bouffée, a donné une petite tape au bout de sa cigarette pour détacher la cendre, la fille a poussé le cendrier vers lui, mais la cendre s'est quand même répandue à côté.

– Vous êtes plus utile ici. Essayez de vous organiser pour...

Je lui ai pris la parole.

– C'est déjà fait. Il y a des tonnes de tentes, de médicaments... il me manque plus qu'un camion pour embarquer le matériel.

– Pour ça, je peux faire quelque chose. Avec Mlle Chibani, je vais faire le nécessaire... vous allez lui donner tous les renseignements pour qu'elle règle ça dans les meilleurs délais... mais pour le reste, je ne vois pas comment je peux vous aider. Sincèrement... comment je pourrais justifier votre demande : Y a un *militant* qui affirme avoir fait un rêve, avoir tout vu, que son mektoub voudrait qu'on lui paye un voyage pour du volontariat sur les ruines d'El Asnam ?

Il a appelé à lui le cendrier, désireux d'éviter de me brusquer avec son réalisme surgelé.

– ... vous vous rendez compte? Qui va croire une histoire aussi ubuesque?

Mlle Chibani regrettait d'être d'accord avec l'argumentation. Elle arborait désormais un air de pitié. Mon voyage se présentait mal. Soudain, une mouche a piqué le type haut placé. Une ombre a assombri ses yeux, semant dans son sillage une sournoise suspicion à mon égard.

– Il y a quelque chose que je ne comprends pas dans votre « militantisme »...

J'ai levé les yeux vers lui, prêt à examiner toutes les zones floues qui rendaient ma démarche suspecte. J'ai vu Anna. Je ne pouvais pas nier entre elle et la zenzela une certaine affinité. En fouillant bien, je pouvais déceler mille raisons de mettre en doute ma sincérité. Je n'étais pas aussi clair que je le prétendais. Au fond, n'avais-je pas été ravi de profiter du malheur de mes frères pour organiser une collecte, creuser une faille artificielle et m'engouffrer vers Anna? N'avais-je point tout manigancé dans cet unique dessein? Un doute s'est incrusté dans ma détermination. S'il le décelait, l'homme de l'administration n'allait pas manquer de s'infiltrer dans la brèche. J'ai baissé mon regard.

– Vous avez fait l'armée?

Sa question cinglait comme une ouverture de procès.

– Je suis sursitaire.

– Depuis combien de temps?

– Je ne sais pas, cinq ans...

– Vous ne savez pas?

– Pas exactement, cinq ou six ans...

– Il faudrait savoir. C'est une question grave.

– C'est à cause des études, c'est pour ça...

– Y en a tellement qui font des études pour échapper à l'armée. Ils se prétendent patriotes...

– Mais... je vais faire mon service.

– Il faut faire l'armée, c'est un devoir.

– Oui, mais c'est à cause des études...

Le cendrier a servi une nouvelle fois d'objet de décompression. Là, le type a fait tomber sa cendre dedans, le temps de réfléchir à la suite des débats.

– Vous avez votre carte de sursitaire ?

Je ne l'avais pas sur moi, bien sûr. Pour quel usage l'aurais-je ?

Le type s'est emballé. Comme s'il venait de trouver l'issue à une situation inextricable.

– Alors ? Comment voulez-vous vous porter volontaire pour le tremblement de terre ? Ce sont les appelés du contingent qui offrent leurs services à la population. Notre démocratie fonctionne sur ce principe. Ce n'est pas comme *ici*. Les *djounouds* de chez nous sont les serviteurs de la Révolution. Vous voulez vraiment apporter votre soutien au peuple souffrant ?

L'homme venait de me faire échec et mat. Je ne pouvais plus rebrousser chemin.

– Bien sûr, je suis prêt.

– Alors vous pouvez passer au bureau du service national, au troisième étage, présentez-leur votre cas et dites-leur que vous êtes prêt à partir faire l'armée... avec un peu de chance, vous irez sur les failles de la zenzela...

C'était fini. J'étais sonné. Le raisonnement de l'administration était circulaire et imparable comme cette démonstration. Fellahs et citoyens de base n'avaient qu'à exécuter les règles de la loi. Quelqu'un a frappé à la porte du bureau, une aubaine. Le vieux à qui j'avais rempli le formulaire d'exportation d'un véhicule est entré sans qu'on l'y autorise. Le haut responsable l'a cueilli en punching-ball.

– Oui ? Qu'est-ce que tu veux ?
– Je…
– Tu as entendu quelqu'un te dire « entrez » ?
– Euh, je…
– Attends qu'on te dise d'entrer. Ressors !
– C'était pour ma voiture, le jeune était au courant, il m'a aidé tout à l'heure…

Le pauvre fellah ignorait où il était tombé.

Le responsable s'est alors dirigé vers lui, l'a aidé à sortir et a refermé la porte, en criant que Démocratie, Révolution et *Éducation* allaient ensemble. Allez, ouste !

Le pauvre paysan déraciné tenait à tout prix à justifier le motif de son intrusion. Je l'entendais continuer à s'expliquer derrière la porte.

Mlle Chibani s'est levée et m'a demandé de l'excuser. Elle allait faire comprendre au vieux comment fonctionnait une administration et commencer par lui conseiller de relire l'affiche inscrite sur la porte : *Frappez et attendez.* Mais comme le vieux était analphabète, ce que j'étais le seul à savoir, le dialogue allait vite tourner à la paranoïa. Le haut responsable a fait mine de partir. Il avait bouclé mon dossier. Il a écrasé définitivement sa cigarette en plein cœur du cendrier, et a fait mouche :

– Voilà, mon frère, je vous ai tout dit. Vous savez comment faire, maintenant… Laissez-moi vous donner un conseil : débarrassez-vous vite du service national. Eux ne vous lâcheront jamais. Pour ce qui concerne votre collecte, Mlle Chibani verra dès cet après-midi comment acheminer la marchandise vers l'aéroport. Allez, au revoir… bonne chance…

Il est parti. Sa fumée l'a suivi. Même pas un remerciement pour les centaines de gens de mon quartier qui s'étaient mobilisés pour les sinistrés. Le cœur à l'envers, je n'avais plus qu'une envie : quitter ce bureau au plus vite. La Révolution que j'avais bichonnée pendant des années comme un leitmotiv prenait tout à coup la forme d'un *Titanic* le nez contre un iceberg. Mlle Chibani attendait qu'il sorte. Je lui ai signifié mon imminent départ. D'un signe, elle m'a prié de rester encore quelques secondes, mais je l'ai laissée. J'ai dit au revoir avec les yeux et je me suis esquivé.

Dans les escaliers, j'ai retrouvé le planton. Il m'a demandé si j'avais pu régler mes affaires. J'ai dit que tout était en ordre. Il a remercié Dieu et m'a serré la main. Dorénavant, j'étais convaincu de connaître une conclusion du livre de mon destin : je n'allais jamais faire l'armée de ma vie. Mon père avait raison, il était risqué de se rendre à l'*embrassade* avec un cœur gros comme ça. On en ressortait avec un pois chiche en pierre. Je suis rentré chez moi en pensant à ma vie *ici*. Après tout, c'était vrai : qu'allais-je faire là-bas ? Les morts étaient morts. Les survivants étaient sursitaires. Comme moi.

Lyon

Mon père surveillait l'arrivée de Sid Ahmed avec une nervosité perceptible, peut-être à cause de *Stive* qu'il risquait de manquer si les débats s'éternisaient. Le marabout avait prévu de passer ce soir pour bavarder de choses et d'autres, du malheur des uns et du bonheur des autres. Au balcon, Yemma préparait du *Khobz ed'dar*, de la galette maison, sur un feu à gaz. Accroupie en sauterelle devant le plat de terre cuite, elle s'appliquait à piquer la pâte avec la pointe d'une allumette et à la retourner de temps en temps, en évitant de se brûler les doigts. Je l'avais regardée un moment. Elle était radieuse. Au loin, les crêtes des monts du Lyonnais, les nuages grisonnants et le crépuscule ocre de la ville agitaient leur faste sans l'impressionner. D'autres préoccupations hantaient son esprit.

Quelqu'un a sonné à l'entrée. Elle a sursauté :

– Vite. Il est arrivé.

Elle s'est essuyé les mains sur sa robe.

Le cœur battant, je suis allé ouvrir. Fausse alerte, ce n'était pas le marabout, mais Jésus. J'ai aussitôt averti mes parents et invité mon ami à entrer à la maison. Il ne m'a pas d'emblée inondé de paroles comme il l'aurait fait en temps normal, c'était bizarre. J'avais l'intention de le faire patienter dans ma chambre quelques minutes, lui servir un café avec une part de galette chaude, mais ses mouvements de retrait indiquaient un état d'urgence.

– Il y a des choses plus importantes qui se passent pas loin, il a susurré. Beaucoup plus importantes.

Il entretenait volontairement un air combinard dans sa façon de me regarder, comme s'il avait découvert l'entrée d'un palais ottoman dans l'orifice de ses nouvelles jumelles.

– Viens vite.

Il restait en attente devant la porte d'entrée, un coup de sirocco risquait de la refermer dans son dos et bloquer ainsi l'accès au trésor du sultan.

– Vite, tu vas voir.

– Je peux mettre mes bottes de sept lieues ?

– Cours.

– Où tu m'emmènes ?

– Juste en bas.

J'ai enfilé mes chaussures, tout en prévenant mon père : « Je descends, je reviens ! » Ma sœur a refermé la porte et m'a rappelé à l'ordre : « Tu sais que Sid Ahmed vient pour toi. Tu vas pas nous casser la baraque, hein ? »

Dans l'ascenseur, Jésus jouait les prolongations de suspense, pétillait comme un aspro effervescent dans un verre d'eau. Ses mains avaient du mal à rester accrochées aux poignets. Il n'y avait rien à faire pour lui délier la langue, j'ai respecté son mutisme, mais j'avais une intuition, à présent. Seule la phrase de ma sœur qui résonnait encore dans ma tête demeurait incertaine : *Tu vas pas nous casser la baraque, hein ?* De quoi parlait-elle ?

L'ascenseur me semblait plus lent que d'habitude. Comble de l'embouteillage, il a marqué l'arrêt. Les portes ont coulissé, M. Vicenti a surgi, en piteux état. « Vous passez votre vie dans l'ascenseur ou quoi ? » Il cherchait la bagarre. Il s'est fait une place à mon côté, nous a présenté son derrière, j'ai appuyé sur le bouton RDC et l'engin est reparti dans sa chute. Au bout d'un moment, M. Vicenti a balancé en l'air : « Alors, la collecte, ça a marché ? » Il s'adressait à moi. Une réponse s'imposait.

– Les gens ont été vraiment gentils. Ils ont donné des tas de choses, mais maintenant, le problème, c'est l'acheminement...

Il a éructé :

– Les gens, ils sont tous des cons. Où t'i as vu qu'ils sont gentils, toi ?

Il n'avait pas bien digéré son goûter de quatre heures. Mais il n'avait pas tout à fait tort, vu l'accueil qui m'avait été réservé à l'*embrassade*.

– Moi, je n'ai rien donné..., il a précisé. Ça sert à rien. Les camions d'aide humanitaire de l'ONU n'arrivent jamais à destination. Ils sont pillés avant. Ça sert à quoi de donner ?

– Ça fait rien, la prochaine fois, a fait Jésus.

M. Vicenti s'est tourné vers lui.

– Toi, t'i es un idiot comme les autres. Je t'interdis que tu me parles. T'i es un faux jeton, ça se voit...

Cette fois, il allait rendre son goûter sur le visage de Jésus. Nous avons fait les carpes jusqu'au rez-de-chaussée. En bas, nous l'avons laissé sortir de l'ascenseur. Je me doutais de plus en plus du sapin de Noël que mon ami avait décoré pour moi.

– Il m'a fait peur, ce fou, a avoué Jésus. Je sens que c'est à moi qu'il va mettre un coup de canne, un jour.

Moi, je cherchais déjà des yeux mon arbre. Dans la galerie centrale de l'immeuble, deux enfants jouaient au foot contre la façade et une vieille dame traversait le décor en poussant un caddie de supermarché.

– Viens, tu vas voir, tiens-toi bien.

Il m'a conduit derrière l'immeuble, côté cuisine des appartements. Dès que nous avons descendu les cinq marches d'escalier, j'ai tourné la tête à gauche et je l'ai vue. Elle était là, en vrai. Anna. Mon premier réflexe me commandait de faire un demi-tour et m'enfuir sur les chapeaux de roues à Tindouf, Tigzirt ou Tamanrasset, mais trop tard, j'étais dans les sables. Il fallait nager. Je suffoquais. En même temps, je me demandais comment ce diable de Jésus avait-il fait pour l'attirer dans ce coin retiré de l'immeuble ? Comment avait-elle pu accepter de suivre un charlatan comme lui, qui l'espionnait du bout de ses jumelles et connaissait d'elle ses faits et gestes les plus intimes ? Je ne pouvais ni m'enfuir ni m'arrêter, contraint d'avancer vers elle. Elle ne bougeait pas, adossée à une murette. Elle m'attendait. M'attendait ? Non, elle ne pouvait pas m'attendre, moi, Farid Belgacem, fils de fellah immigré, membre de la MMFM (*inc.*). J'avais un air de Pinocchio, frileux, gigotant, monté sur deux jambes qui avançaient à l'aveuglette vers leur destin. Anna était là. Jésus affichait une frivolité déconcertante en s'approchant d'elle. Lui, il pouvait. Il n'était pas impliqué. Il sentait ma décomposition, l'accentuait : « Allez, avance, t'as honte ? » Au pied du mur, j'allais devoir dire bonjour à Anna dans une minute, l'embrasser, faire l'animation. Je suivais Jésus au radar. Mes sens filaient dans tous les sens. Une vraie débâcle. Et voilà, nous étions dans la même bulle qu'Anna. Autour, dans le décor, il y avait ce grand immeuble qui tombait comme un rideau tiré de théâtre, et derrière, une étendue, une place, un désert béton, comme enceinte. Au milieu, Anna. Après tant de rêves, tant de regards jetés comme des grappins contre sa fenêtre, son balcon, sa silhouette fuyante. Ma maison du retour. N'était le risque du ridicule, j'aurais lancé mon *Yeaaaahhhh* libérateur.

Jésus s'apprêtait à faire les présentations. Mais était-ce nécessaire ?

– Voilà, Farid.

Aussitôt, j'ai reçu des pelletées de charbon dans ma chaudière et la pression a monté, j'ai rougi jusqu'à l'ébullition. Le bras tendu vers elle, Jésus a dit :

– Anna.

Elle a souri. Ses gestes étaient si délicats. Enfin, ce que je pouvais en voir, car ma vue était à moitié noyée par les gouttes de transpiration. J'ai murmuré : *Je sais.* J'aurais pu faire remarquer que nos regards se fréquentaient depuis de nombreux mois, chaque matin de chaque saison, dans les aubes sombres ou claires, avec la rosée, le givre ou les primevères.

– Tu *sais* quoi ? a questionné Jésus.

Moi, je ne visais qu'Anna. Ses yeux flottaient comme des balises.

– Nous nous sommes vus plusieurs fois à l'arrêt de bus, je prends le 44 tous les matins à sept heures vingt-deux…

Elle a fait un petit mouvement du menton. On aurait dit un pétale de rose qui faisait une révérence matinale devant une goutte de pluie.

– Ah bon ?

J'ai entendu Jésus qui se taisait. D'un coup sec, le vent a tourné. Ces deux petits mots m'ont fait remonter le cœur jusqu'à la gorge. Avais-je bien entendu ? Voulait-elle dire qu'elle ne m'avait jamais repéré à l'arrêt du bus, tous les matins, à sept heures vingt-deux ? D'ailleurs, avait-elle réellement parlé ? Elle n'avait même pas fait une phrase. *Ah bon* : ces quelques lettres étaient vides si on les abandonnait telles quelles dans un courant d'air. D'ailleurs que faisais-je là, devant Anna ? Ma place était chez moi, prêt à accueillir le marabout et commencer une autre vie.

Jésus s'est assis à côté d'elle, à l'aise, comme si à présent c'était lui le fiancé de la belle étrangère. Il a sorti son attirail de gentleman-fumeur, paquet de Marlboro et briquet en acier lourd, allumage première classe. Il lui en a proposé une, elle a refusé. (Heureusement, je n'aurais pas pu l'embrasser, après.) Il m'en a donné une, je l'ai saisie des deux mains, tellement j'allais me dépenser en entier dedans. Soudain, j'ai senti qu'elle était perturbée par quelque chose qui se passait derrière moi. C'était M. Vicenti. Devant une voiture garée, calé sur sa canne, il faisait des signes de la main. Ses doigts nous lançaient des SOS.

– Qu'est-ce qu'il veut ? j'ai fait. J'y vais.

Je m'apprêtais à sauter de la murette, mais Jésus m'a intercepté.

– Non, laisse. Toi, tu restes là... t'as autre chose à faire...

Il m'a fait un clin d'œil, discret comme à son habitude. Et il est parti voir notre voisin, m'abandonnant seul, face à face avec Anna. A ce moment, j'ai pensé à la femme aux poivrons dans le bordel de Sétif. Une bouffée de dégoût a oppressé mon estomac de pierre. Aujourd'hui, Anna passait devant ma ligne d'horizon, elle était restée pour moi, je devais sortir du rêve et dire quelques mots. Mais de quoi pouvais-je lui parler ?

C'est elle qui a trouvé :

– Vous avez fait une collecte... ?

Bien sûr, elle se souvenait de notre passage sur son palier, en compagnie de son voisin au frigo. J'ai feint de ne pas bien saisir.

– Ah oui. Tu... ?

Au moment où les premiers mots prenaient forme, je me suis demandé s'il fallait la tutoyer ou la vouvoyer.

– C'est pour la zenzela... enfin le tremblement de terre...

Je ne tenais pas à lui dire où il s'était produit.

– Oui, je sais.

Elle savait déjà.

– ... j'ai vu à la télévision. Ça fait mal au cœur de voir ça...

Elle n'a pas cherché à savoir si j'avais de la famille sous les décombres. Mais elle a regardé un instant Jésus qui parlait avec M. Vicenti, puis elle m'a fait un aveu surprenant :

– Ma mère est pied-noir...

Pour contourner un silence qui pouvait paraître compromettant, j'allais lui demander des nouvelles de son père, mais elle a devancé l'idée.

– Mon père est mort.

Alors là, je n'ai pas voulu connaître le pourquoi, le comment. J'espérais seulement qu'il n'ait pas péri pendant la guerre d'Algérie, lors d'une embuscade dans les gorges de Palestro ou dans les monts des Aurès. Elle ne prononçait que des fragments de phrases qui m'empêchaient d'aller plus loin dans la conversation. Je n'avais rien à redire de l'origine pied-noir de sa mère, je ne pouvais rien faire pour son père. Offrir des condoléances ? Je préférais me taire. Je n'ai plus rien dit. Elle non plus.

Son parfum était sucré. Quand un air de sirocco se promenait par là, emmenant jusqu'à moi les senteurs de son corps, je fermais les yeux pour tout respirer, me remplir d'elle, comme un voleur. C'était une odeur de parfum parisien que je connaissais, agréable. C'était le sien. J'aurais aimé toucher ses cheveux. Elle aurait pu me demander :

– Tu voudrais toucher mes cheveux ? Ils sont soyeux.

Elle aurait pu.

Et sa bouche. J'aurais aimé l'embrasser, en fermant les yeux.

Et ses épaules. J'aurais aimé laisser le bout de mes doigts glisser sur leurs courbes calligraphiques.

Et son sexe. J'aurais aimé m'endormir sur ses rives en pleurant. Me rêver dedans, à l'abri, comme sur une plage de Martinique. Je la devinais à mes côtés, entière, si proche. Elle était belle. Bien trop blanche. Jamais je ne pourrais lui donner un baiser. La toucher. Je me suis demandé : de quoi peuvent bien parler les amoureux du monde entier lorsqu'ils se retrouvent cœur à cœur, sur la même plage ? Comment se fabriquent les mots d'amour ? Tu m'aimes. Je t'aime. Il t'aime. Je sème. Nous nous semons.

☆

Elle partirait dans une minute. Et je ne lui aurais rien dit. J'allais manquer le premier virage de mon destin, bêtement, assis sur le rebord d'une fenêtre, à regarder Jésus qui marchandait avec M. Vicenti. Fallait que je fabrique mon avenir avec Anna, que je trouve des mots pour espérer la revoir demain. Mais je craignais tant d'être grossier. J'étais incapable de dire : Pourra-t-on se revoir ? Elle aurait pensé que c'était une demande physique, alors que moi je voulais juste être à côté d'elle et tout éteindre pour voir un monde silencieux, pas la toucher, non, pas la toucher. Jamais mêler les spermatozoïdes au cœur. Laisser l'amour sec, sans transpiration, sans gémissement. A la fin de l'irruption, dans le bordel de Sétif, je revoyais la grisette aux poivrons, vautrée sur son bidet, décalaminant à grands jets d'eau le souvenir de mon passage sur elle. C'était de l'inamour à cent sous le kilo, boissons comprises. Avec Anna, il n'y aurait qu'effleurement, des doigts se cherchant dans la foule, des caresses tourbillonnant dans le sirocco et du jasmin. Une fortune inestimable.

Pourquoi demeurait-elle taciturne ?

Les bras allongés de part et d'autre de son corps, assise sur la murette, elle respirait. C'est tout ce qu'elle faisait.

Elle parlait quand elle le décidait :

– Tu connais bien Jésus ?

– Oui, bien sûr, il est fou...

Elle a souri. N'a rien ajouté. J'ai pensé : elle me pose une question délétère. Quel intérêt de parler de Jésus, alors que j'étais en face d'elle, en chair et en os, disponible, pieds, poings et cœur liés ? Juste à ce moment, Jésus a fait un bond en arrière pour échapper au coup de canne que M. Vicenti voulait lui coller sur la nuque. Des mots d'insulte ont fusé. Il est revenu vers nous en courant, maudissant les hémiplégiques.

– Qu'est-ce qu'il y a ? j'ai demandé.

Il ne voulait rien dire qui risquait de gâcher l'instant fragile de nos retrouvailles, comme chantait l'autre. Il était outré. J'ai cru comprendre. M. Vicenti lui avait fait une proposition boiteuse. A sa façon de nous inviter à venir le voir en agitant ses doigts de sadique, j'avais deviné. Mais je n'en avais cure. A quoi pensait Anna ? voilà ce qui m'importait. J'essayais de chercher quand j'ai vu l'apparition. A quelques mètres de là, sur le chemin qui traversait la pelouse, déboulait mon collègue marabout de Vaulx-en-Velin, fagoté dans ses guenilles habituelles, marchant tel un pantin en direction de chez nous. Dans une réaction de buteur opportuniste, j'ai retroussé les jambes et je me suis tassé au fond du mur, pour échapper à mon destin. Anna a lancé un regard intrigué sur ma manœuvre. J'ai fait diversion. J'ai tapoté mes genoux pour chasser les fourmis. Quel embarras si mon collègue oracle m'avait surpris là, en compagnie d'une visage pâle, réduit à l'état d'impuissant par trop d'amour contenu ! Quelle déception pour lui ! Ne venait-il pas donner à mon père le menu de notre prochaine union familiale ?

Jésus a allumé une énième cigarette pour enfumer ses nerfs à vif. Traumatisé par la perfidie du handicapé, il avait des choses à avouer. Mais il voulait aussi préserver Anna. Il a changé de conversation. Il m'a fait un clin d'œil : Alors, ça a marché ? A nouveau, j'ai rougi. Anna m'a regardé. Elle ne saisissait pas. Elle ignorait les milliers d'histoires d'amour que j'avais écrites en secret pour elle et moi.

Dès que Sid Ahmed a disparu dans la galerie de l'immeuble, mon malaise s'est accru. Dans une minute, j'allais entendre depuis mon balcon : Farid ! Farid ! Yemma allait appeler son fils. Je devrais rejoindre ma route. Elle allait me présenter sa bru, Anifa. Le marabout était arrivé, fallait respecter mon engagement à demi-mot. Et je n'avais encore rien avoué à Anna ! Mais elle, ne m'avait-elle pas demandé si je connaissais *bien* Jésus ? Je ne voulais même pas me remémorer cette question sans queue ni tête. Demain matin, je me réveillerais, me préparerais, rejoindrais en courant l'arrêt de bus numéro 44, traverserais l'avenue, risquerais de me faire écraser par une voiture, et ensuite je lancerais mon regard en face, à l'arrêt du bus numéro 36, je la verrais, fine et droite, son sac à la main, ses beaux cheveux.

– Faut que j'y aille, j'ai dit.

J'ai pris l'initiative. Après tout, elle pouvait très bien me dire : Quand se reverra-t-on ? Mais les femmes ne posent pas pareilles questions aux hommes. Alors je me suis levé. Elle n'a pas ouvert la bouche. Tout juste si elle était au courant de mon existence. Je me suis demandé au fond de moi : mais pourquoi est-elle venue, si elle ne dit rien, si elle ne s'intéresse à rien d'autre que... ? A côté, Jésus tirait une moue de girafe inquiète.

– Tu pars ?

– Je dois y aller.

– Tu vas où ?

– Chez moi.

Anna m'a regardé à cet instant. Elle a cligné les cils, j'ai cru voir des choses dans ses yeux, mais sans plus. Je ne savais plus. Jésus m'a serré la main. Puis je me suis approché d'Anna. Arrivé à quelques centimètres de son cœur, je voulais me mettre à pleurer, à genoux, lui dire : Mais pourquoi tu ne me fais aucun signe, tu me laisses dans le brouillard ? Tu ne vois donc pas comment je tremble ? Aide-moi, je t'en supplie. Raconte-moi une blague, un souvenir d'enfance.

J'ai cru entendre la voix de Jésus qui disait : « Embrasse-la... mais embrasse-la ! »

Moi, embrasser Anna ? J'en mourrais juste d'y penser. Avant que je ne me prépare à cette idée, elle m'a offert sa joue. J'ai vu sa bouche si près, ses lèvres. C'était mieux qu'avec des jumelles. Elle sentait le *Christian Diour*. J'ai posé un petit baiser sur sa joue. Ensuite, je me suis évanoui. J'entendais vaguement dans le ciel, près de mon balcon, la voix de Yemma qui traçait ma route.

– Farid, lève-toi ! Lève-toi !

Un train fonçait. Moi, j'étais assoupi sur la voie ferrée. Les yeux clos, j'ai placé l'image d'Anna, son parfum parisien et la douceur de sa peau dans un fichier et j'ai appuyé sur la touche « enregistrement ». Demain, on verrait bien si cette histoire était sauvegardée ou non sur un disque dur. Je suis rentré à la maison dans un état critique.

D'El Asnam et du tremblement de terre, il n'y avait plus grand-chose à dire. Le monde de l'information était passé au tour suivant. Dans les journaux, à la télévision, on ne faisait plus allusion au cauchemar dans lequel se débattait un peuple de sinistrés qui guettait l'arrivée de mes tentes, mes médicaments et mes couvertures. Je savais qu'il pouvait attendre encore longtemps. A quoi ça sert *tout ça* ? avait demandé M. Vicenti.

Le temps, à présent, allait piétiner *tout ça*. Les pleurs sécher. Les failles et les cicatrices se cautériser. On allait reconstruire sur les brèches. Les routes défoncées seraient renvoyées à leur platitude. Les cours d'eau bordés dans leur lit. Et la vie reprendrait sa ronde sans pitié.

Question : mais pourquoi Anna m'avait-elle demandé si je connaissais *bien* Jésus ?

Bordel de merde !

Je suis monté chez moi, écrasé par un doute, un sentiment d'abandon et de trahison. Au moment de prendre l'ascenseur, une 2 CV jaune sans capote de la Poste a pétaradé sur le parking. Un homme noir la conduisait, le même que celui qui jouait dans *Les Visiteurs*, quand le Chevalier lui casse la voiture à coups de gourdin. J'ai aussi pensé à Akila et à ses télégrammes de malheur.

J'ai pensé, mais pas trop fort.

A la maison, Sid Ahmed colloquait avec mon père. Je l'ai salué. J'avais des sentiments enchevêtrés, je voulais m'éloigner, mais il m'a dit de rester près de lui sur le canapé. Comme à son habitude, il malaxait son collier de perles vertes, le caressait comme un sablier. Il a vu que je le regardais. Il a mis une main dans une poche et il en a ressorti un autre collier qu'il m'a donné. « Il t'en faut un. » Je l'ai pris, sans conviction. Mais dès que je l'ai eu au creux de ma main, j'ai repensé à Anna. Ce rang de perles avait peut-être une influence surnaturelle. Il exaucerait mes prières. En le serrant entre mes doigts, je lui ai ordonné, au cas où : Que la fille que tu as vue tout à l'heure en ma compagnie soit follement amoureuse de moi, que je remplisse ses rêves, moi tout seul ! Élimine toutes les autres images dans sa tête.

Bordel de merde, s'il ne m'écoutait pas, j'allais le déchirer.

Sid Ahmed a posé sa main sur la mienne. Un instant, j'ai cru qu'il avait capté mon ordre et qu'il voulait m'aider à faire le ménage. J'étais en alerte. J'avais de la peine pour sa fille. Je me disais : elle ne va tout de même pas épouser un garçon dont le cœur est à plat ventre aux pieds d'une autre ! La main de Sid Ahmed était chaude. Elle me transmettait des fourmillements. J'aurais voulu m'en dégager, mais je craignais de paraître ingrat. J'étais si angoissé à l'idée de ne pas correspondre à l'image qu'on se faisait de moi.

– Tu es prêt ?

J'en ai profité pour lui soustraire ma main. Il a recommencé à triturer son chapelet. Prêt à quoi ?

– Je ne sais pas encore, j'ai dit. Il faut voir avec Dieu...

Si mon destin était vraiment écrit, il n'y avait pas d'inquiétude quant à son impression sur l'imprimante. Prêt ou pas, le canot était à l'eau.

Mon père a balisé le terrain de négociation.

– Mais... il n'a pas fait l'armée. C'est un gros problème. Il devra accomplir son devoir, sinon il n'aura jamais de papiers...

Il était obsédé par cette formalité nationale. En douce, il quémandait au marabout une ficelle pour m'éviter ce tourment. N'avait-il pas une potion de druide, un moyen de pression sur un recruteur du service militaire ? Hélas, sur cette clause de mon destin écrit, le mage de Vaulx-en-Velin ne voyait pas clair. A vrai dire, il ne voyait même rien du tout. Ennuyé, il s'est retourné vers mon père, timidement, pour dire : « Je vais écrire quelque chose pour lui. » Mais brusquement, le chapelet qu'il tenait entre ses doigts s'est rompu et toutes les boules de plastique sont tombées sur le carrelage, rebondissant à grand fracas comme les cloches d'un carillon assourdissant. J'étais stupéfait devant ce coup du sort. Mon père hébété. Sid Ahmed s'est empressé de prononcer des mots protecteurs contre les démons qui avaient manigancé cette rupture diabolique. Au même moment, quelqu'un a sonné bruyamment à la porte. Sid Ahmed s'est arrêté de respirer. Un Visiteur ? Je me suis levé, mon père m'a bloqué. Il est allé lui-même affronter la vérité. J'ai entendu la voix du postier qui disait : « Un télégramme pour M. Belgacem. Une signature, s'il vous plaît. » Mon père m'a convoqué en urgence à la porte. Il ne savait pas écrire, je devais aller signer l'épilogue de sa vie d'exilé. Il tremblait comme une terre à la merci d'une secousse tellurique. Le postier a remercié, il a plié son cahier d'accusés de réception et l'ascenseur l'a repris en charge.

– Ouvre vite ! m'a ordonné mon père. D'où ça vient, Bism'Illah Il rahman Il Rahim ! Bism'Illah Il rahman Il Rahim !

J'ai déplié l'épitaphe. J'ai lu.

– Alors ? C'est quoi ?

Je ne voulais pas avouer. Cela ne se pouvait pas.

– C'est quoi ?

Il a bien fallu que je dise les mots :

– La maison de Sétif s'est complètement écroulée.

Sid Ahmed a senti le malheur, il est venu nous rejoindre dans le couloir en disant « miséricorde ». Mon père m'a demandé de relire. J'ai relu. Il imaginait en silence. Puis il a dit :

– Mais comment, la maison s'est écroulée ? Ça ne veut rien dire, ces mots de merde ! Tu crois que je me suis ruiné pendant toute ma vie pour édifier une maison qui ne tient pas debout ?

J'ai bien cru qu'il allait m'ordonner d'effacer ce putain de télégramme et de rappeler le visiteur de malheur pour lui rendre le papier. J'ai bien cru.

Le marabout aurait dû intervenir dans cette faille, peut-être pour dire que la vie c'était ça, une ligne blanche qu'on n'osait pas franchir, des mots de merde qu'on ne savait pas déchiffrer, une maison qu'on bâtit et qui s'écroule, un temps passé qui se noie, un autre à venir qui ne vient pas, avec nous, présents, au milieu du gué. Hélas, il ne s'est pas prononcé. Ce n'était pas un clairvoyant. Mon père a appelé ma sœur à la rescousse, pensant dresser un pont-levis contre la nouvelle qui tentait une pénétration en force. Peine perdue, elle était déjà bel et bien enregistrée dans le disque dur. Ma sœur a éclaté en sanglots. Mon père s'est contenu. Il a regardé en direction de Yemma, toujours au balcon à pétrir son *pain de la maison*, et il a conclu :

– Ne dites rien à votre mère, je vous en prie, mes enfants.

Nous dirions que ce télégramme ne nous est jamais parvenu.

Mon père s'est effondré en larmes. Il a posé ses poings fermés sur ses yeux.

C'est drôle, la secousse que j'ai ressentie à ce moment-là. Cela ne faisait plus aucun doute, nous n'allions jamais reconstruire de maison à Sétif. Il fallait planter la tente *ici*. Alors, j'ai eu une monition sur la suite de mon mektoub. J'ai pris mes jambes à mon cou et je me suis envolé loin de mon marabout. Je n'avais pas le temps d'attendre l'ascenseur, j'ai ôté mes chaussures et j'ai descendu les escaliers quatre à quatre, comme si le chien d'Albertini était à mes trousses. J'ai retrouvé les sensations de ma cavalcade sur la pente du cimetière musulman près du mausolée de Sid El Khier, avec la voix de la marabata qui m'ouvrait la voie : « Va, Farid, va ! Il l'a prise, il l'a prise ! Cours vite. » Je voyais la maison de Sétif s'éloigner de moi jusqu'à s'effacer complètement, au fur et à mesure que je dévalais les escaliers. Plus vite je courais, plus vite elle était engloutie par la terre, là-bas, au-delà de l'horizon des monts du Lyonnais. J'ai poussé mon *Yeaahh* favori, j'allais récupérer Anna *ici* et l'étreindre avant qu'elle ne retourne seule à son balcon. Je suis sorti de l'allée en trombe, j'ai contourné l'immeuble, et je l'ai retrouvée, elle était toujours là, encore chaude. Mais de ce qu'elle faisait avec Jésus, je n'avais déjà plus envie de parler. J'allais juste effacer le disque dur, oublier, si je trouvais le courage, et ouvrir un nouveau fichier de vie. A quoi ça servait, tout ça ?

Du même auteur

CHEZ LE MÊME ÉDITEUR

Le Gone du Chaâba
coll. « Point-Virgule », 1986

Béni ou le Paradis privé
coll. « Point-Virgule », 1989

Écarts d'identité
en collaboration avec Abdellatif Chaouite
coll. « Point-Virgule », 1990

Les Voleurs d'écritures
illustré par Catherine Louis
coll. « Petit Point », 1990

L'Ilet-aux-Vents
coll. « Point-Virgule », 1992

Les Tireurs d'étoiles
illustré par Josette Andress
coll. « Petit Point », 1992

Quartiers sensibles
en collaboration avec Christian Delorme
coll. « Point-Virgule », 1994

Une semaine à Cap Maudit
illustré par Catherine Louis
coll. « Petit Point », 1994

Les Chiens aussi
1995; coll. « Point-Virgule », 1996

Le Gone du Chaâba
Béni ou le Paradis privé
Les Chiens aussi
3 volumes sous coffret, coll. « Point-Virgule », 1996

CHEZ D'AUTRES ÉDITEURS

L'Immigré et sa ville
Presses universitaires de Lyon, 1984

La Ville des autres
Presses universitaires de Lyon, 1991

La Force du berger
illustré par Catherine Louis
La Joie de lire, Genève, 1991

Jordi ou le Rayon perdu
La Joie de lire, Genève, 1992

Le Temps des villages
illustré par Catherine Louis
La Joie de lire, Genève, 1993

Les Lumières de Lyon
en collaboration avec Cl. Burgelin et A. Decourtray
Éditions du Pélican, 1993

Quand on est mort, c'est pour toute la vie
Gallimard, coll. « Page blanche », 1994

Ma maman est devenue une étoile
illustré par Catherine Louis
La Joie de lire, Genève, 1995

Mona et le Bateau-livre
illustré par Catherine Louis
Compagnie du livre, 1995 ; Chardon bleu, 1996

Espace et Exclusion
L'Harmattan, 1995

Place du Pont, la Médina de Lyon
Autrement, coll. « Monde », 1997

Dis Oualla
Fayard, coll. « Libres », 1997

RÉALISATION : PAO ÉDITIONS DU SEUIL
REPRODUIT ET ACHEVÉ D'IMPRIMER SUR ROTO-PAGE
PAR L'IMPRIMERIE FLOCH À MAYENNE (09-97).
DÉPÔT LÉGAL : SEPTEMBRE 1997. Nº 32455-2 (42170)